Saint-Evremond, artiste de l'euphorie

Léonard A. Rosmarin

Saint-Evremond
Artiste de l'euphorie

Summa Publications
Birmingham, Alabama
1987

Avant-propos

JE TIENS À RENDRE HOMMAGE À UN CERTAIN nombre de personnes qui ont chaleureusement encouragé la composition de cet ouvrage. C'est à mon collègue Alexandre Amprimoz que vont mes remerciements les plus vifs. Son enthousiasme et ses conseils éclairés m'ont aidé à franchir maint obstacle. Je n'oublie pas non plus mon collègue Michael Cardy qui me poussait depuis des années à mener à bien ce projet. Ma gratitude s'adresse également à mon épouse, Béatrice, dont la patience et la bonne humeur m'ont soutenu tout au long de la rédaction du livre. J'aimerais remercier aussi mes nombreux étudiants avancés qui ont toujours témoigné de la sympathie pour Saint-Evremond, et parmi eux, je signale Mme Elisabeth Teunis qui a eu l'amabilité de dactylographier la version définitive du manuscrit. Enfin, je ne voudrais pas que la générosité de l'Université Brock passe inaperçue. C'est son aide financière qui a facilité la publication de cette étude sur un écrivain beaucoup trop négligé depuis quelque temps.

L. A. R.

Table des matières

Introduction

COMME TOUS LES ESPRITS DE SON époque qui prétendaient à la distinction, Saint-Evremond était fier d'incarner à sa manière l'idéal de l'honnête homme. La beauté de cet idéal consistait dans sa souplesse même. Il donnait un cachet à ceux qui parvenaient à y accéder, tout en leur permettant d'exprimer avec discrétion leur propre personnalité. Depuis le chrétien ardent Pascal, jusqu'au gentilhomme désillusionné La Rochefoucauld, en passant par le libertin désinvolte Bussy-Rabutin, les honnêtes gens se reconnaissaient aux traits suivants: ouverture d'esprit, extrême sensibilité aux nuances, capacité d'entretenir entre eux des relations d'une amabilité exquise grâce à leur intuition, et maîtrise de soi portée à un tel degré qu'elle passait à peu près inaperçue. Somme toute, un art de vivre aussi bien personnel que social, fait d'élégance et d'aisance.

Chez Saint-Evremond, cet art de vivre est indissolublement lié à la recherche de l'euphorie. Saint-Evremond n'a jamais caché son admiration pour le philosophe grec Epicure. Dans l'essai qu'il lui consacre en 1684, alors qu'il avait déjà 68 ans, Saint-Evremond approuve entièrement une philosophie fondée sur la poursuite active du plaisir sous toutes ses formes et selon les possibilités que recèle chaque étape de l'existence. Loin de lui l'idée fallacieuse propagée par un contemporain, Sarasin, selon laquelle la volupté d'Epicure serait aussi austère que la vertu pratiquée par les stoïciens. Il était donc normal que l'honnête homme Saint-Evremond s'unisse à l'épicurien que son tempérament l'avait toujours disposé à être pour faire de lui aussi, à son tour, un artiste de l'euphorie. Sans l'avouer explicitement dans ces divers écrits, Saint-Evremond a consacré sa vie à exploiter ses ressources internes pour créer le plaisir tout comme un artiste organise savamment la matière brute qu'il transforme en chef-d'œuvre. Avant d'être écrivain, notre auteur est un subtil esthète de l'existence.

Ce n'est pas simplifier à outrance la pensée de Saint-Evremond que de voir s'y dessiner une quête de l'euphorie menée avec un art consommé par un honnête homme épicurien. Toutes les grandes questions qu'il soulève à propos de la condition de l'homme en général et de la sienne en particulier reflètent plus ou moins cette recherche du plaisir: la réconciliation de la raison et de la libido; la nécessité pour l'homme de s'harmoniser avec les étapes successives de son existence, y compris celle de la vieillesse; l'équilibre à établir en société entre les exigences de la conscience morale et celles de l'ambition; la nature ambiguë de la passion; la sublimation de la libido qui produit le rapport altruiste nommé "amitié"; et l'influence civilisatrice d'une religion fondée sur l'amour. On pourrait même dire que ces questions ne passionnent Saint-Evremond que dans la mesure où elles touchent à celle, primordiale pour lui, du bien-être de l'homme, tant dans le sens spirituel que dans le sens physique. Naturellement, en honnête homme qui éprouve de la gêne à afficher ses connaissances, Saint-Evremond fréquente les profondeurs intellectuelles sans s'y abîmer. Il n'en demeure pas moins vrai qu'à l'intérieur du contexte moral spécifique qu'il a choisi, il nous livre une pensée vive et élégante.

Pour Saint-Evremond, l'euphorie était un état de grâce terrestre que l'homme pouvait mériter par ses propres actions. A l'aide d'une lecture des textes où il explore cette notion, nous nous proposons de reconstituer le travail d'artiste qui, selon lui, permet d'accéder à ce niveau privilégié. Nous découvrirons d'abord la naissance du besoin de l'euphorie chez Saint-Evremond, et en quoi consiste sa nature pour lui. Ensuite, à partir d'un certain nombre d'expériences fécondes qu'il avait vécues, nous analyserons les moyens que notre auteur mit en œuvre pour créer son état de grâce et le faire durer.

En interprétant la pensée morale de Saint-Evremond dans une telle perspective, on ne risque pas de retomber dans les sentiers battus par d'autres critiques. Jusqu'à présent les études evremoniennes ont négligé l'artiste épicurien que recèle l'œuvre. Bien entendu, les savants les plus divers ont souligné l'importance de l'euphorie dans la pensée de notre écrivain. Entre autres, H. T. Barnwell l'a rattachée à une "analyse explicative" des idées morales et critiques de Saint-Evremond[1]. Quentin Hope en a discerné la présence dans ses jugements littéraires[2]. Albert-Marie Schmidt s'en est servi pour dresser un réquisitoire implacable contre "l'humaniste impur" qui s'y abandonnait[3]. Luigi de Nardis en a tenu largement compte dans une sorte de biographie intellectuelle consacrée à l'écrivain[4]. Et dans son admirable édition critique de l'œuvre

---

[1] H. T. Barnwell, *Les idées morales et critiques de Saint-Evremond* (Paris: Presses Universitaires de France, 1957).

[2] Quentin M. Hope, *Saint-Evremond: The Honnête Homme as Critic* (Bloomington: Indiana University Press, 1962).

[3] Albert-Marie Schmidt, *Saint-Evremond ou l'humaniste impur* (Paris: Editions du cavalier, 1932).

en prose et des lettres de Saint-Evremond, René Ternois a signalé les multiples sources qui le nourrirent[5]. Mais au lieu de mettre en lumière l'activité de l'artiste qui engendre l'euphorie, ils ont inséré la grande tendance épicurienne dans d'autres contextes. L'intérêt de notre étude paraît dès lors évident.

Mais tout en dégageant la dimension artistique inhérente à la recherche de l'euphorie chez Saint-Evremond, nous nous efforcerons de ne pas commettre l'erreur de systématiser sa pensée. Erreur d'autant plus inexcusable que notre auteur est de ceux qui, selon le mot de Jacques Prévost, se font chercher dans leurs œuvres[6]. Comme si ce fait n'éclatait pas avec toute l'évidence désirable, Saint-Evremond répétait à maintes reprises à ses correspondants que la production littéraire était pour lui un simple passe-temps. Au cours de sa très longue vie, il exprimait sa répugnance à entreprendre des activités intellectuelles ardues. Il déclarait préférer de loin la conversation à la lecture, ne se résignant à lire ou à écrire que lorsqu'il n'avait rien de mieux à faire. Il affectait une nonchalance envers ses écrits, voire une indifférence, qui sentent bien l'honnête homme réfractaire aux systèmes. Malgré la part de coquetterie qui s'y décèle, cette propension chez le moraliste à minimiser l'importance de son œuvre n'en constitue pas moins une mise en garde utile contre la tentation de faire des synthèses artificielles. Elle nous indique la voie à suivre pour mener à bien notre étude: à travers une analyse des moyens mis en œuvre par l'artiste épicurien Saint-Evremond pour créer son état de grâce personnel, nous évoquerons l'honnête homme idéal qu'il souhaitait devenir, et celui, tout de même très distingué, qu'il était devenu.

[4] Luigi de Nardis, *Il Cortegianno e l'Eroe, Studi su Saint-Evremond* (Firenze: Nuova Italia, 1964).

[5] Voir Charles de Marquetel de Saint-Denis de Saint-Evremond, *Œuvres en prose*, éd. René Ternois, 4 tomes (Paris: Librairie Marcel Didier, 1962-1969); et Charles de Marquetel de Saint-Denis de Saint-Evremond, *Lettres*, éd. René Ternois, 2 tomes (Paris: Librairie Marcel Didier, 1967-1968). Toutes les références sont à ces éditions.

[6] Jean Prévost, "Saint-Evremond", *Tableau de la littérature française; XVIIe - XVIIIe siècles*, éd. André Gide (Paris: Gallimard, 1939), p. 27.

1

L'Euphorie: L'état de grâce terrestre

> ... l'amour de la volupté et la fuite de la douleur sont les
> premiers et les plus naturels mouvemens qu'on remarque
> aux hommes: ... les richesses, la puissance, l'honneur, la
> vertu peuvent contribuer à nostre bonheur; mais ... la seule
> joüissance du plaisir, la volupté pour tout dire, est la
> veritable fin où toutes nos actions se rapportent. C'est une
> chose assés claire d'elle même, et j'en suis pleinement
> persuadé (*Œuvres*, III, 426).

MAILLON D'UNE CHAINE D'ESPRITS INDEPENDANTS qui va de Montaigne
jusqu'à Voltaire, Charles de Marquetel de Saint-Denis, seigneur de Saint-
Evremond (1614-1703) appartient à la catégorie d'hônnetes gens qu'on
appelait communément les libertins épicuriens. Réfractaire à la débauche
et à l'impiété tapageuse, notre auteur, comme ses contemporains Cyrano
de Bergerac, Ninon de Lenclos, et Chapelle, consacrait néanmoins son
existence à la poursuite des plaisirs terrestres sous toutes leurs formes.
N'ayant jamais revendiqué le titre d'homme de lettres, Saint-Evremond ne
composa aucun livre. Mais, en aristocrate nonchalant, il livrait de temps à
autre à quelques amis de courts essais sur des questions morales,
littéraires, et politiques. Parce qu'il a joui d'une immense popularité dans
les trois dernières décennies du 17e siècle, on a tendance à voir en lui un
précurseur des philosophes. Mais son esprit fut formé à l'époque de la
deuxième Régence, celle d'Anne d'Autriche, mère de Louis XIV. Aux
environs de 1640, Saint-Evremond subit l'influence décisive d'un des

maîtres de philosophie les plus célèbres de l'époque, le théologal de Digne, Pierre de Gassendi[1]. Ce dernier lui transmit sa méfiance profonde des systèmes, son humble soumission aux faits de l'expérience aussi bien que sa morale épicurienne. Pour le pieux Gassendi, l'épicurisme résidait essentiellement dans la recherche de l'indolence. Mais Saint-Evremond, officier de l'état-major du général Condé, donc peu enclin à se comporter en enfant de chœur, passa outre aux enseignements de son maître. Pour le disciple, vivre et jouir intensément de la vie étaient synonymes.

Sans son esprit impertinent qui lui avait déjà valu deux séjours à la Bastille, il aurait pu, peut-être, poursuivre une carrière brillante dans l'armée ou à la cour. Il était devenu maréchal de camp en 1651. Mais il écrivit une lettre railleuse à un ami, le marquis de Créqui, sur le cardinal Mazarin et les maladresses de sa politique étrangère. La police royale la découvrit en 1661, lors des perquisitions faisant suite à l'arrestation du surintendant des finances, Fouquet. Craignant les foudres du roi, Saint-Evremond prit la fuite. Il chercha refuge en Angleterre, puis s'y installa définitivement en 1670 après avoir passé quatre ans en Holland. Il n'allait plus jamais revoir la France.

Grâce à des protecteurs puissants, parmi lesquels figurait le roi Charles II d'Angleterre, grâce surtout à son tempérament hédoniste, Saint-Evremond parvint à rendre son exil plus que supportable. Il menait la vie d'un honnête homme raffiné, prenant un vif intérêt aux grands débats d'idées de son temps, aux réunions mondaines, aux relations avec d'autres honnêtes gens, et à certaines dames délurées dont il se plaisait à être le confident et l'ami. Quand il se ménageait du temps pour écrire, il était capable de produire des textes de haute qualité.

Or, les écrits de Saint-Evremond qui touchent à l'art de vivre expriment la conviction de tous les libertins épicuriens de son siècle: l'euphorie est l'état de grâce. A la différence de la grâce divine qui prend possession de tout l'être avec une force irrésistible, l'euphorie est une création purement humaine. Sans vouloir imposer à la pensée de Saint-Evremond une rigueur qu'il n'avait peut-être jamais envisagée, nous relevons dans son œuvre trois éléments dont la mise en jeu et l'enchaînement assurent la réalisation de cette grâce terrestre: l'horreur de la mort, les divertissements, et une manière toute personnelle de goûter les plaisirs. C'est cette dernière qu'il nomme "Sagesse".

---

[1] Pour de plus amples renseignements sur les relations intellectuelles qui existaient entre Saint-Evremond et Gassendi, voir "Jugement sur les Sciences où peut s'appliquer un honneste homme" dans Œuvres, II, 10-11.

L'euphorie chez Saint-Evremond naît d'une impulsion de nature toute contraire: l'horreur. Instinctif, sinon viscéral, ce sentiment est lui-même engendré par l'appréhension de la mort. Plus d'une fois au cours de son existence, Saint-Evremond exprime son angoisse à ce sujet. Dans la première version de son discours "Sur les plaisirs", écrite vraisemblablement vers 1647[2], l'épreuve finale qu'est la mort lui paraît d'autant plus effroyable qu'elle implique l'anéantissement définitif de toute vie, de tout espoir de survie pour ceux à qui la foi fait défaut: "Il n'y a rien qui puisse effacer l'horreur du passage, que la persuasion d'une autre vie attendue avec confiance, dans une assiete à tout esperer et à ne rien craindre" (Œuvres, IV, 15). Vers 1671, il décrit d'une part le mouvement de révolte qui s'empare des hommes à l'idée de leur engloutissement dans le non-être, et de l'autre, la certitude transmise à la conscience par un corps en train de dépérir que ce processus demeure irréversible. Saint-Evremond dissimule son angoisse derrière la première personne plurielle. Mais le procédé est transparent. Du "nous" au "je" il n'y a qu'un pas à franchir:

> La simple curiosité nous feroit chercher avec soin ce que nous deviendrons aprés la mort. Nous nous sommes trop chers pour consentir à nostre perte toute entière. L'amour propre résiste en secret à l'opinion de nostre aneantissement, la volonté nous fournit sans cesse le désir d'estre toûjours et l'esprit interessé en sa propre conservation aide ce desir de quelque lumiere dans une chose d'elle-méme fort obscure. Cependant le corps qui se voit mourir seurement, comme s'il ne vouloit pas mourir seul, preste des raisons pour envelopper l'esprit dans sa ruine; et les organes détruits laissent imaginer malaisement la conservation d'une partie qui semble n'agir que par eux (Œuvres, IV, 149-150).

En 1684, dans une parodie du style des oraisons funèbres dédiée à la sémillante duchesse Hortense Mazarin[3], il imagine la puissance

---

[2] Selon René Ternois, le premier paragraphe de la première rédaction du discours "Sur les plaisirs" semble faire allusion à un séjour forcé de Saint-Evremond à Lerida, en Espagne, avec les troupes du général Condé. Ternois pense qu'il est possible que Condé l'y ait laissé pendant quelque temps au lieu de le ramener avec lui en France pour le punir de s'être battu en duel en 1647 contre le marquis de Fores. D'où la date donnée à la première version de ce texte. Quand Saint-Evremond accepta de revoir celle publiée par Barbin en 1692, il ajouta d'autres phrases qui trahissent une acceptation tranquille de la mort. Voir la notice du discours "Sur les plaisirs" dans Œuvres, IV, 5-11.

[3] La duchesse Mazarin (1647-1699), née Hortense Mancini, nièce préférée du cardinal Mazarin, arriva en Angleterre le dernier jour de décembre 1675, à 29 ans, après maintes aventures orageuses. Elle fuyait un mari dont la bigoterie était devenue insupportable. Elle éblouit le sexagénaire Saint-Evremond par sa grande beauté, sa vivacité, et son comportement déluré. Il n'était pas jusqu'à ses caprices que le vieillard ne trouvât

destructrice du phénomène agissant cette fois-ci contre une créature qui, par sa grande beauté, mérite d'y échapper. Bien que le ton de cette oraison funèbre soit enjoué et même malicieux, on n'en perçoit pas moins un frémissement d'indignation contre "la loi funeste où nous sommes tous assujettis", qui réduit impitoyablement tous les êtres humains, les plus distingués comme les plus médiocres, au même dénominateur commun (*Œuvres*, IV, 250). La preuve, c'est qu'à la mort de la belle Hortense, survenue une quinzaine d'années plus tard, Saint-Evremond fut longtemps inconsolable.

Dans les passages cités, l'horreur qu'éprouve Saint-Evremond devant la mort transparaît sous sa réserve d'honnête homme. Comment pourrait-il en être autrement? Saint-Evremond se sait mortel. Loin de pouvoir rémédier au dilemme ontologique qu'il suscite, l'esprit, en raison de sa pitoyable finitude, est réduit à l'aggraver dès qu'il se remet à réfléchir. Se voyant prisonnier d'une chair périssable, il s'aperçoit que la réflexion sur la vie mène tôt ou tard à la mort. Ainsi, comme Montaigne avant lui et comme Tolstoï plus près de nous, Saint-Evremond comprend que Psyché est le chemin qui mène à Thanatos.

Saint-Evremond ne dit jamais explicitement que son attachement à la vie est la conséquence de son horreur de la mort. Mais la fréquence avec laquelle il affirme son vouloir-vivre dans son œuvre, et la ténacité de son attachement à la vie pendant presque un siècle d'existence en disent long à ce sujet. On dirait même que plus Saint-Evremond vieillit, plus sa vie imparfaite lui paraît précieuse du simple fait qu'elle le préserve du néant. Ecrivant au comte de Lionne[4] en 1668, il glorifie la santé comme le bien suprême "Que sert il de faire vanité de ses charges ou de son bien? Se bien porter vaut mieux qui commander à tout le monde" (*Lettres*, I, 148). En 1670, Saint-Evremond écrit au même correspondant une pensée semblable. Il est, dit-il, harcelé par de graves difficultés financières qui sont capables, à plus ou moins brève échéance, de le priver de tout moyen

---

fascinants. Malgré le fait que la belle Hortense se servait de lui souvent comme souffre-douleur, Saint-Evremond lui vouait un culte à la fois touchant et ridicule. Il fut inconsolable à sa mort. Après son arrivée en Angleterre, une coterie à la cour de Charles II songea un moment à faire de Hortense Mazarin la nouvelle maîtresse du roi, afin de contrecarrer l'ambition de la favorite à cette époque, Louise de Kéroualle, duchesse de Portsmouth. Mais ils durent vite déchanter. Hortense Mazarin était une écervelée, incapable de mener à bien une intrigue de cour.

[4] Le comte Joachim de Lionne (1637?-1716) mena une vie plutôt obscure mais mouvementée. Tout à tour conseiller au parlement de Grenoble, soldat dans diverses campagnes européennes, chargé de missions diplomatiques, il fit la connaissance de Saint-Evremond en Hollande en 1667. Il promit à ce dernier de demander à son cousin, le marquis de Lionne, ministre de Louis XIV, d'intervenir auprès du roi pour mettre fin à son exil. La tentative échoua.

de subsister dans son exil. Un séjour en France, indispensable au redressement de sa fortune, lui est rigoureusement interdit par le roi qui semble résolu à le bannir à perpétuité pour son indépendance d'esprit. La "necessité" le met donc aux abois. Cependant, Saint-Evremond déclare craindre plus que la "necessité" "le secours de la nature qui pourroit finir tous les maux que [lui] fait la fortune" (*Lettres*, I, 153). En 1684, dans un essai dédié au maréchal de Créqui[5], Saint-Evremond compare les états respectifs de la jeunesse et de la vieillesse. Quand on est jeune, on dépense ses forces vives à profusion sans songer au lendemain. Arrivé au seuil de la vieillesse, on cherche à sauvegarder le peu qui reste comme un bien irremplaçable: "Nous nous devenons plus chers à mesure que nous sommes plus près de nous perdre" (*Œuvres*, IV, 104). Enfin, en 1699, il adresse une lettre émouvante à son amie, la célèbre courtisane Ninon de Lenclos[6], à une époque où ils sont tous les deux des vieillards vénérables. Tout en lui prédisant une gloire immortelle dans les temps à venir, Saint-Evremond formule un souhait infiniment plus important: "je regarde une chose plus essentielle; c'est la Vie, dont huit jours valent mieux que huit Siècles de gloire après la mort" (*Lettres*, II, 284).

---

[5] Le marquis de Créqui (1629-1687) fut un des grands amis de Saint-Evremond. Grâce à son intervention auprès du cardinal Mazarin, Saint-Evremond put quitter la Bastille plus tôt que prévu en 1658. Il demeura de ceux qui se signalèrent par leur dévouement et leur loyauté envers notre auteur pendant son exil. Saint-Evremond composa pour lui la fameuse "lettre" sur la paix de 1659 dans laquelle il malmenait le cardinal Mazarin, le loua dans sa "Conversation avec M. le Duc de Candale", et lui consacra sa "lettre" sur la Hollande ainsi que le long essai où s'expriment ses pensées sur divers sujets qui lui tiennent à cœur. Créqui faillit ruiner une carrière militaire brillante par son attachement au surintendant des finances, Fouquet. Il dut passer six ans dans ses terres. Mais en 1667 la cour avait besoin de lui. Il fut rappelé pour commander l'armée du Rhin, et en 1668 reçut le titre maréchal de France.

[6] Ninon de Lenclos (1620-1705) fut la courtisane française la plus célèbre de son temps. Selon Tallement des Réaux, Ninon était la seule femme que la reine Christine de Suède désirât voir lors de son passage à Paris, tant sa renommée s'était répandue en Europe. Outre ses attraits physiques et sa virtuosité dans l'art d'aimer, les admirateurs de Ninon étaient unanimes à louer le charme de sa personnalité et la loyauté indéfectible dont elle témoignait envers les amis en détresse. On pouvait lui confier des secrets et de grandes sommes d'argent en toute confiance. Libertine impénitente, Mlle de Lenclos faisait fi royalement aussi bien des exhortations morales de l'église catholique que de ses menaces de châtiments éternels. Comme Saint-Evremond, elle croyait que la jouissance était le but de la vie. Elle continua à incarner sa philosophie hédoniste jusqu'à 50 ans, ayant ramassé parmi ses innombrables conquêtes le mari et le fils de Mme de Sévigné. Après avoir renoncé au rôle de courtisane, elle assuma celui de "personnage", comme elle le disait plaisamment à Saint-Evremond. Son salon devint célèbre pour l'ambiance de politesse exquise qui y régnait. Il n'est pas sûr que Saint-Evremond ait été son amant, mais leur amitié remontait à l'époque de la Régence, et se poursuivit par lettres après l'exil de celui-ci jusqu'à l'extrême vieillesse des deux.

Inutile d'insister sur le caractère non-métaphysique, voire non-intellectuel de cette loyauté envers la vie. Certes, un homme aussi intelligent et cultivé que Saint-Evremond pouvait facilement trouver dans l'activité de l'esprit des raisons suffisantes pour justifier son vouloir-vivre tenace. Mais elles ne semblent pas avoir eu pour lui la force immédiate et convaincante de sa présence physique sur terre. Face au néant dans lequel il allait éventuellement se dissoudre, son pauvre être corporel lui conférait la seule signification concrète. Bien plus que les activités intellectuelles, la confirmation de son existence physique donnait le démenti à la mort. Saint-Evremond ne savait que trop bien que la mort faisait partie intégrante de la vie. Mais tant qu'il persévérait dans sa résolution de vivre, sa vie continuait à représenter une victoire sur la mort. Et puisque cette vie humaine finie sous sa forme physique était la seule valeur tangible, c'était la seule qui comptât à ses yeux. De là l'ironie narquoise dont il témoigne envers Descartes qui accorde la primauté à l'esprit dans l'existence humaine: "Je ne vis plus que par réflexion sur la vie, ce qui n'est pas proprement vivre; et sans la philosophie de M. Descartes qui dit: je pense, donc je suis, je ne croirois pas proprement être" (*Lettres*, I, 204). De là l'horreur qu'il éprouve vis-à-vis des fanatiques qui, mûs par une passion aveugle, se précipitent vers la mort au nom de leur foi (*Œuvres*, III, 32). Abandonner la vie en faveur d'une idéologie, religieuse ou autre, paraît à Saint-Evremond le plus grand des sacrilèges. Un tel acte de zèle fanatique n'est à ses yeux qu' "une fureur qui violente l'instinct naturel" (*Œuvres*, II, 132).

Son attachement à la vie pousse Saint-Evremond à organiser un système de défense sans lequel les pensées affligeantes risqueraient toujours d'empiéter sur son esprit et de lui rappeler sa vulnérabilité. Le système repose tout entier sur la notion des divertissements qui sont la forme raffinée revêtue par le besoin instinctif d'euphorie. Les divertissements transforment ce besoin en réalité en orientant le vouloir-vivre vers un but épicurien qui dépasse de loin le simple désir d'échapper au non-être. Ainsi, plongeant leurs racines dans l'élan fondamental de l'être, liés à une réaction d'horreur devant l'idée de la mort, les divertissements apparaissent comme l'antitoxine morale que l'esprit de l'homme crée afin de le préserver, ne serait-ce que temporairement, de la malédiction de l'angoisse qu'il lui inflige.

On est en général d'accord pour dire que le rôle des divertissements consiste à détourner l'homme de la contemplation de soi. Certains critiques de Saint-Evremond comme Schmidt, Barnwell, Adam et de Nardis soulignent à juste titre le fait que le moraliste fuit sa propre conscience philosophique. Dans son essai intitulé "Sur les plaisirs", Saint-

Evremond déclare que les divertissements ont pour but d'apporter à l'homme l'oubli de sa condition malheureuse:

> Pour vivre heureux, il faut faire peu de réflexions sur la Vie, mais sortir souvent comme hors de soy; et parmi les plaisirs que fournissent les choses étrangeres se dérober la connoissance de ses propres maux. Les divertissements ont tiré leur nom de la diversion qu'ils font faire des objets fâcheux et tristes, sur les choses plaisantes et agréables: ce qui montre assez, qu'il est difficile de venir à bout de la dureté de nôtre condition par aucune force d'esprit, mais que par adresse on peut ingénieusement s'en détourner (*Œuvres*, IV, 12-13).

Saint-Evremond ne constate-t-il pas ici sur le ton de l'évidence qu'un véritable examen de conscience est insupportable à toute créature humaine? Tels qu'il les décrit, les divertissements entraînent certainement l'homme loin de la tristesse vers des pensées agréables, et dans ce sens ils l'amènent à s'arracher à lui-même pour s'accrocher aux objets qui lui sont extérieurs. Mais à regarder de près cet élan vers l'extérieur, on s'aperçoit qu'il provoque paradoxalement un retour vers l'être et un approfondissement de soi[7]. Si quelques-uns des divertissements pratiqués par Saint-Evremond, surtout à la fin de sa vie, étaient d'une frivolité navrante, d'autres mettaient à contribution ses ressources affectives et intellectuelles. Certaines, comme l'amour, réveillaient délicieusement sa sensualité. D'autres, comme la lecture et l'étude de l'histoire, enrichissaient sa connaissance de l'homme, donc de lui-même. Une surtout, l'amitié, exigeait de très hautes qualités morales.

Pour ces raisons, la définition des divertissements énoncée par Saint-Evremond lui-même ne nous paraît pas tout à fait exacte, ou du moins suffisamment nuancée. Les divertissements variés auxquels Saint-Evremond avait recours tout au long de son existence le détournaient, certes, de lui-même, mais seulement d'une partie de son moi, de cette prise de conscience de son destin mortel qui, prolongée trop longtemps, l'aurait empêché de vivre. En revanche, les divertissements le ramenaient tout naturellement vers son for intérieur chaque fois qu'il lui fallait, pour les réaliser, exploiter les richesses de son être. Ainsi l'acte de se divertir tel que le pratiquait Saint-Evremond nous semble décrire un double mouvement: de l'intérieur vers l'extérieur, ensuite de l'extérieur vers l'intérieur. Une prise de conscience angoissée fait démarrer Saint-Evremond, et le pousse à s'accrocher aux choses et aux êtres en dehors de

---

[7] Voir à ce sujet l'ouvrage de Gaston Bachelard, *La Poétique de l'espace* (Paris: Presses Universitaires de France, 1957). Notre point de vue se rapproche particulièrement du chapitre IX dont le titre est à ce sujet hautement indicateur: "La Dialectique du dehors et du dedans", (pp. 191-207).

lui afin de l'anesthésier. Ces choses et ces êtres déclenchent des répercussions sur lui, l'engageant ainsi à tirer de sa propre substance psycho-physiologique les moyens de se complaire dans sa propre nature et de se sauver. Il ne s'agit pas tant pour Saint-Evremond de fuir son être – enterprise chimérique d'ailleurs, car on ne s'arrache jamais totalement à soi – que d'affirmer la valeur de celui-ci, son excellence même, en multipliant les expériences épicuriennes. En d'autres mots, en sortant de lui-même, il finit toujours par se retrouver. On dirait que sans en avoir eu l'intention consciente, Saint-Evremond réfutait par sa conception épicurienne de la vie la conviction de son contemporain célèbre, Pascal, selon laquelle la nécessité de se divertir trahit chez l'homme une incapacité de se satisfaire de sa nature, et de plus, le sentiment de son irrémédiable vacuité[8].

Si les divertissements offrent à l'homme la double possibilité de se délivrer temporairement de l'angoisse et d'exploiter son potentiel interne, encore faut-il en tirer le meilleur parti. Pour bien se divertir, il faut savoir bien vivre. Ici entre en jeu la notion de la sagesse, troisième et dernière étape de la création de l'euphorie. Saint-Evremond emploie le mot si souvent à propos de l'attitude à adopter devant la vie et ses étapes successives qu'il est légitime d'en faire le synonyme de l'art de vivre. Cependant, quand on essaie d'analyser avec précision cette "sagesse" on se heurte à des difficultés épineuses dues au fait que Saint-Evremond n'en donne jamais une définition complète. Il semble qu'à l'image de la vie, le terme soit d'une mouvante complexité, contenant des nuances aussi diverses qu'hédonisme et responsabilité morale. La sagesse est considérée comme une vertu. Néanmoins, étant de caractère essentiellement épicurien, elle ne correspond point à la vertu elle-même. Elle implique la maîtrise de soi et la modération, et pourtant elle est diamétralement opposée à la rigueur morale des femmes hollandaises qui déplaisait tant à Saint-Evremond[9]. La sagesse est censée pouvoir apporter à l'homme la

---

[8] Les passages sur le divertissement sont parmi les plus connus des *Pensées* de Blaise Pascal. Cet apologiste de la foi chrétienne, et contemporain de Saint-Evremond, y constate la tendance chez les hommes à rechercher sans arrêt les divertissements afin de détourner leur esprit de la contemplation du néant propre à la condition humaine. Les princes sont à cet égard les plus fortunés, car ils sont toujours entourés de gens ayant comme tâche unique de conjurer leur angoisse en les divertissant. Cependant, selon Pascal, le plaisir créé par les divertissements est un mirage. Non seulement il n'apporte à l'homme aucune plénitude spirituelle, il l'empêche de songer à son salut. Saint-Evremond a fini par être indifférent à l'égard du sien.

[9] Dans la "Lettre écrite de La Haye" (*Œuvres*, II, 24-33), et dans la "lettre à Monsieur le marquis de Créqui" (*Œuvres*, II, 34-37),Saint-Evremond reproche aux femmes hollandaises leur pruderie, et leur tradition de continence "qui passe de mère en fille

sérénité du philosophe, mais elle ne semble pas servir à grand chose quand il est en proie à de graves souffrances physiques. En outre, la sagesse se modifie selon les différentes étapes de la vie, prescrivant aux vieillards des règles de conduite très différentes de celles que suivrait un homme dans la fleur de l'âge. Pour paraphraser le célèbre ouvrage de Jean Starobinski, Saint-Evremond, comme Montaigne, est toujours "en mouvement"[10].

Notre tentative d'expliquer le mot "sagesse" est rendue plus difficile par le fait que Saint-Evremond dans certains passages emploie celui de "raison", qui ressemble assez au premier pour pouvoir être confondu avec lui. Un passage tiré de l'essai dédié au maréchal de Créqui illustre la ressemblance des deux termes considérés. Ayant constaté chez lui la disparition de toutes les inclinations pour le vice au seuil de la vieillesse, Saint-Evremond attribue à regret son amélioration morale à son affaiblissement physique plutôt qu'à la modération de son esprit:

> En effet j'attribuerois mal à propos à ma *raison* la force de les soûmettre, s'ils n'ont pas celle de se soûlever; et quelque *sagesse* dont on se vante, il est malaisé de connoitre à l'age où je suis, si les passions qu'on ne sent plus sont éteintes ou assujeties (*Œuvres*, IV, 104).

Que les deux termes soient rapprochés au point de paraître interchangeables se confirme chaque fois que Saint-Evremond se sert du mot "raison" à propos de la question de bien jouir de la vie. Tout comme la sagesse, la raison dirige les passions au lieu de les tyranniser (*Œuvres*, IV, 108). Elle contribue également à la recherche des plaisirs tant que l'homme conserve sa vigueur. Pareille à la sagesse, la raison représente l'équilibre et la sérénité du jugement quand il devient vieux (*Œuvres*, IV, 106). S'il fallait à tout prix déterminer la différence de nuance entre la raison et la sagesse, elle se réduirait à celle-ci: la raison effectue les opérations indispensables à la jouissance de la vie, alors que la sagesse en constitue le résultat. Saint-Evremond corrobore notre interprétation dans une lettre écrite à Anne Hervart en 1669, où la raison apparaît comme la qualité essentielle de toute philosophie qui se donne comme art de vivre. Après avoir exprimé sa répugnance à entreprendre diverses sortes d'études ardues, et sa préférence pour les violons du duc de Buckingham plutôt que pour son laboratoire, Saint-Evremond formule sur un ton enjoué son crédo

---

comme une espèce de religion" (*Œuvres*, II, 35). Notre auteur pense qu'étant tout à fait soumises à leur devoir conjugal, elles s'interdisent la moindre velléité de galanterie que les prudes des autres nations considèrent comme parfaitement innocente.

[10] Jean Starobinski, *Montaigne en mouvement* (Paris: Gallimard, 1982).

épicurien: "De toute philosophie, je n'aime que celle qui nous peut faire vivre avec plus de raison et moins de chagrin" (*Lettres*, I, 201).

Malgré le lien étroit qui existe entre la raison et la sagesse, la première se différencie nettement de la deuxième par l'exercice de son activité propre. Dans les divers essais où il en est question, Saint-Evremond laisse entendre que la raison est une faculté innée, permettant à l'homme de voir clair en lui-même et en dehors de lui-même, de distinguer entre le vrai et le faux, et, par extension, entre le bien et le mal. Mais Saint-Evremond ne fait que suggérer cette définition de la raison, nulle part il n'explicite le sens du terme. Pour lui, la raison est une faculté fondamentale dont l'activité est si évidente qu'elle ne se prête pas à la discussion. Comme Quentin Hope l'a vu fort justement, c'est son absence beaucoup plus que sa présence qui fait ressortir son importance capitale[11]. Il suffit que la raison disparaisse pour que l'erreur et la sottise grouillent de toutes parts, et que notre description de son activité soit nettement illustrée par sa négation même. Saint-Evremond fustige le duc de Mazarin avec une ironie impitoyable parce que celui-ci pratique une bondieuserie superstitieuse et agressive qui déshumanise la vie (*Œuvres*, IV, 327-328). Il tourne en dérision un prophète irlandais pour avoir opéré une confusion totale entre l'illusion et la réalité, en faisant croire aux masses crédules que des formules magiques pouvaient se tranformer immédiatement en bonheur durable (*Œuvres*, IV, 71-87). Il voit dans les ambitions démesurées ou "vastes", comme il se plaît à les appeler, de certains grands hommes de l'histoire tels qu'Alexandre, César, et le cardinal Richelieu, et dans leurs conséquences funestes, la preuve d'un manque de jugement (*Œuvres*, III, 375-417). Saint-Evremond condamne les couvents parce qu'ils exigent une aveugle obéissance de la part de ses membres au nom d'une foi religieuse impossible à prouver (*Lettres*, I, 387). Quand son amie, Mme Mazarin, caresse l'idée de se réfugier dans un couvent pour échapper à ses nombreuses tribulations, Saint-Evremond n'envisage rien de plus propre à l'en dissuader que de peindre un tableau effrayant de la nuit où sera plongé son esprit assujetti à l'autorité d'une vieille supérieure ignorante (*Lettres*, I, 388).

Ainsi, lorsque la raison a pour but d'élucider l'esprit de l'homme, elle peut fonctionner indépendamment de la sagesse. Néanmoins, comme le confirment les exemples que nous venons de citer, la raison est le plus souvent si intimement liée au problème de bien vivre qu'elle déborde le contexte de son activité propre pour empiéter sur celui de la sagesse. Grâce à son pouvoir d'élucidation, la raison devient, en abordant les

---

[11] Hope, p. 97.

préoccupations de la sagesse, la force directrice de celle-ci. Dès qu'il s'agit de l'art de vivre, les deux notions sont inséparables, et il est alors parfaitement normal de parler de l'une en fonction de l'autre.

On comprend facilement que la sagesse chez un homme du tempérament de Saint-Evremond se caractérise par une grande souplesse. Souplesse parfaitement conforme, d'ailleurs, à la société d'honnêtes gens dans laquelle il se complaît. Selon notre moraliste, l'époque où il vit représente l'aboutissement sinon l'apogée d'une longue évolution au cours de laquelle une conception épicurienne de l'existence a fini par se substituer à une conception austère. Le signe le plus éclatant d'une telle évolution, c'est la métamorphose qu'a subie la raison. Aux temps primitifs elle avait comme fonction essentielle d'établir un ordre rigide qui garantisse la protection des citoyens. A l'heure actuelle, tout en continuant à assurer l'ordre civil, elle veille à l'épanouissement personnel de ses membres. Au lieu d'écraser les forces vives de l'être, la raison s'y intègre pour les conduire, et elle favorise leur développement dans la mesure où celles-ci contribuent au bonheur de la vie sociale. Cette vue d'une raison devenue épicurienne avec le temps, Saint-Evremond l'énonce dans un essai dont le titre est assez révélateur de sa pensée: "L'Interest dans les Personnes tout à fait corrompuës. La Vertu trop rigide. Les Sentiments d'un honneste et habile Courtisan sur cette Vertu rigide et ce sale Interest"(*Œuvres*, III, 5-20). Après avoir donné la parole au "corrompu", puis au "vertueux rigide", Saint-Evremond fait parler l'honnête homme de son siècle dont la raison souple et accommodante sait aménager un compromis entre les exigences de la morale et celles du plaisir. Aussi crée-t-elle les conditions propices au bonheur individuel et collectif:

> Je sçay que la raison nous a esté donnée pour regler nos mœurs; mais la raison, autrefois rude et austere, s'est civilisée avec le temps, et ne conserve aujourd'huy presque rien de son ancienne rigidité. Il luy a falu de l'austérité pour établir des loix qui puissent empescher les outrages et les violences; elle s'est adoucie pour introduire l'honnesteté dans le commerce des hommes; elle est devenuë delicate et curieuse dans la recherche des plaisirs, pour rendre la vie aussi agreable qu'elle estoit des-ja seure et honneste (*Œuvres*, III, 13-14).

Bien entendu, Saint-Evremond, moraliste lucide, ne propose aucune formule magique propre à rendre, comme il le dit, "la vie aussi agréable qu'elle estoit des-ja seure et honneste". Il ne lui arrive jamais non plus de vouloir énoncer formellement les principes constitutifs de la sagesse dont la mise en œuvre assurerait le bonheur. Sa discrétion aristocratique l'empêche de donner dans le didactisme. Mais en interrogeant son texte, on peut dégager deux principes fondamentaux qui renferment en eux l'essentiel de cet art de bien vivre, et par conséquent, d'être heureux.

Le premier principe peut s'énoncer ainsi: l'harmonisation de la conscience morale et de la libido. Rien n'est plus indispensable au bien-être de l'épicurien. La conscience morale et la libido s'affrontent généralement en ennemis irréconciliables. La première sauvegarde un ordre social et une échelle de valeurs sans lesquels la vie sombrerait dans le chaos. La deuxième tend à la libération de toute l'énergie vitale et instinctive de l'être sans laquelle l'existence humaine s'enfoncerait dans la stagnation. Saint-Evremond se rend bien compte que les deux antagonistes sont également nécessaires au maintien d'une civilisation. Il faut simplement les empêcher d'écarteler l'être.

Saint-Evremond réussit à harmoniser les deux en déculpabilisant la notion du plaisir sous toutes ses formes. Il ne s'agit pas tant de renverser l'ordre moral établi, d'appeler le bien un mal et le mal un bien, que d'exploiter le réservoir de forces vives que représente la libido pour le plus grand enrichissement de l'être humain. Auparavant, la conscience morale (ou la raison) avait assumé la responsabilité de réprimer la libido au nom d'un ordre social austère. Dès lors que celle-ci est envisagée comme une source de richesse et de jouissance pour l'homme, la conscience morale adhère à une échelle de valeurs profondément modifiée. Le bien devient tout ce qui contribue à l'épanouissement de l'homme; le mal, tout ce qui y nuit. Voilà pourquoi Saint-Evremond a pu dire que pour le saint patron des sages, Epicure, la chasteté n'était pas toujours une vertu, mais que la luxure était toujours un vice (*Œuvres*, III, 437). L'épicurien moderne recueille du vieil ordre de civilisation ce qu'il conserve de positif, et l'incorpore à la nouvelle conception euphorique le l'existence. Saint-Evremond fait parler ainsi "l'honnete et habile courtisan" à un "vertueux austere":

> Pour la haine des méchantes actions, elle doit durer autant que le monde; mais trouvez bon que les delicats nomment plaisir, ce que les gens rudes et grossiers ont nommé vice, et ne composez pas vostre vertu de vieux sentiments qu'un naturel sauvage avait inspiré aux premiers hommes (*Œuvres*, III, 14).

Sous cet éclairage, la distinction que Saint-Evremond établit entre la vertu et la sagesse dans l'essai dédié au maréchal de Créqui est tout à fait compréhensible. La vertu provoque une guerre intestine chez l'homme entre la conscience morale à laquelle elle est associée et la libido. Elle s'oppose à la libération de la libido sans pouvoir pour autant abolir son attrait. Elle impose à la conscience morale des lois sévères qui exacerbent la tension au lieu de les faire accepter comme nécessaires: "…tantôt on y reçoit ce qui choque, tantôt on s'oppose à ce qui plait, sentant presque toûjours de la gesne à faire ce que l'on fait, et de la contrainte à s'abstenir de ce qu'on ne fait pas" (*Œuvres*, IV, 107). Ainsi la vertu ne cherche qu'à réprimer partout et toujours les instincts vitaux dont l'homme réclame le jaillissement de toutes ses fibres. Elle ne sait même pas dédommager l'homme sur le plan moral des souffrances physiques qu'elle lui inflige. Elle mutile son être pour rien. La sagesse, par contre, met fin à ce déchirement inutile. Elle confère à la libido le droit de cité dans la vie affective, tout en conservant à la conscience morale l'autorité de prendre des décisions sur les expériences à suivre. Mais puisque le seul critère selon lequel on juge la qualité d'un acte est désormais le plaisir qu'il est susceptible d'engendrer, la conscience morale s'oriente vers un nouvel objectif. D'ennemie acharnée elle devient collaboratrice éclairée de la libido, et instaure ainsi dans l'être un ordre de paix où les conflits n'ont plus de sens: "L'empire de la sagesse est doux et tranquille: la sagesse regne en paix sur nos mouvemens et n'a qu'à bien gouverner des sujets, au lieu que la vertu avoit à combattre des ennemis" (*Œuvres*, IV, 107).

L'étroite collaboration qui se réalise entre la conscience morale et la libido aboutit ainsi à un paradoxe assez insolite: Saint-Evremond peut satisfaire à la fois aux exigences de la raison et de la passion:

> Je puis dire de moy une chose assés extraordinaire, et assés vraye: c'est que je n'ay guere senti en moi méme ce combat interieur de la passion et de la raison; la passion ne s'opposait point à ce que j'avois resolu de faire par devoir, et la raison consentoit volontiers à ce que j'avois envie de faire par un sentiment de plaisir (*Œuvres*, IV, 107-108).

La signification de ce passage réside dans le fait que Saint-Evremond crée un rapport organique entre le raisonnable et l'agréable. Dans un tel contexte, le "devoir" et la "passion" ne peuvent qu'être compatibles. La raison (ou la conscience morale) devenue épicurienne veille à ce que les diverses expériences de la vie se conforment au critère du plaisir. La libido (ou la passion) fournit la matière brute de ces expériences. La raison affine la libido mais ne l'étouffe jamais. Mieux encore, si elle l'affine, c'est pour en tirer le meilleur parti. Aussi, à l'instar des autres honnêtes gens de son époque qui pratiquaient l'*erudito luxu* de Pétrone[12], Saint-Evremond peut-il savourer les multiples délices de la passion avec la certitude que le raisonnable et l'agréable ne font qu'un.

A ce point on bute contre une contradiction apparente: si des passages comme celui que nous venons de citer confirment le lien organique existant entre la raison et la libido, pourquoi Saint-Evremond a-t-il l'air de remettre en question cet "accommodement si aisé" entre les deux dans la phrase qui suit immédiatement celle où il en parle comme d'un phénomène tout naturel? Citons d'abord la phrase troublante:

> Je ne pretens pas que cet accommodement si aisé me doive attirer la loüange: je confesse au contraire que j'en ay esté souvent plus vicieux, ce qui ne venoit point d'une perversité d'intention qui allât au mal, mais de ce que le vice se faisoit goûter comme une douceur au lieu de se laisser connoitre comme un crime (*Œuvres*, IV, 108).

Ici il semble suggérer que sa raison s'est souvent laissé prendre aux mirages de la passion en attribuant une valeur euphorisante et anodine au vice même. Mais faut-il le croire sur parole? Même s'il a soixante-dix ans approximativement au moment où il rédige l'essai au maréchal de Créqui d'où ces réflexions sont tirées, nous serions enclins à y voir une sorte de coquetterie à rebours, celle qui consiste à se faire admirer par l'humilité de l'aveu (après tout, un honnête homme ne peut pas toujours être égal à lui-même). Il existe dans son œuvre trop de passages écrits avant et après l'époque de la rédaction de l'essai qui démentent son aveu de culpabilité. En 1671 ne souffle-t-il pas à Mlle de Kéroualle[13] des propos d'une impudeur élégante en lui conseillant d'accepter les hommages non-

---

[12] Ce terme désigne un art de vivre d'un extrême raffinement que pratiquait Pétrone, écrivain latin vivant au 1er siècle après J.-C. Pour Saint-Evremond, Pétrone était l'honnête homme exemplaire qui savait parcourir toute la gamme des plaisirs sans en devenir l'esclave. Notre auteur l'admirait aussi d'avoir réalisé un équilibre entre ses activités publiques et sa vie privée. Voir "Sur Sénèque, Plutarque et Pétrone" dans *Œuvres*, I, 164-168.

[13] Louise de Kéroualle (1649-1734), ancienne fille d'honneur de la duchesse d'Orléans, Henriette d'Angleterre, accepta de devenir la maîtresse de Charles II d'Angleterre afin de soutenir les intérêts de le France. Louis XIV l'y poussa, d'ailleurs, dans un but machiavélique, quand il sut qu'elle avait réussi à enflammer le cœur du monarque anglais. Charles II lui accorda le titre de duchesse de Portsmouth et reconnut même le fils illégitime qu'il eut d'elle. En 1671, au moment où elle hésite à se donner au roi, Saint-Evremond lui envoie une lettre intitulée "Problème à l'imitation des Espagnols", où il lui fait comprendre qu'elle n'a que deux options: soit devenir maîtresse du roi, soit se faire religieuse. Mais, poursuit-il, pour devenir religieuse il faut d'abord avoir commis un péché dont on puisse se repentir. Que Mlle de Kéroualle accepte, donc, les hommages du roi, si elle tient un jour à se consacrer à Dieu. Saint-Evremond achève sa lettre en l'assurant qu'il y a une grande différence entre l'amour et la débauche: "Celle [la personne] qui n'en aime qu'une se donne seulement: celle qui en aime plusieurs

platoniques du roi Charles II d'Angleterre (*Lettres*, I, 244-246)? Et que penser de sa prédiction pour les dames délurées comme Madame Mazarin et Ninon de Lenclos, et ce jusqu'à un âge très avancé? A la fin de l'essai "Sur l'Amitié" écrit en 1678, il exhorte Mme Mazarin à bien ordonner sa vie amoureuse en des termes qui sentent l'entremetteur prévenant. Et sept ans à peu près après avoir fait son aveu de culpabilité, c'est-à-dire, à 80 ans, Saint-Evremond déclare sur le ton du badinage ému à l'autre grande amie, Ninon de Lenclos, ancienne courtisane célèbre, et personne presque aussi âgée que lui, que les amants ont une certaine ressemblance avec les joueurs. Leur habitude est invétérée: "Vous êtes née pour aimer toute votre vie. Les amants et les joueurs ont quelque chose de semblable: Qui a aimé, aimera" (*Œuvres*, III, 263.)

Cette conviction intime chez notre épicurien que la recherche du plaisir est un comportement en stricte conformité avec la raison explique son attitude réprobatrice envers les couvents de son temps[14]. Il les accuse de préconiser la répression de la nature au nom d'un idéal de foi religieuse impossible à démontrer. Il les dénonce comme des lieux propices au développement d'obsessions passionnelles refoulées. L'éthique sur laquelle repose la vie conventuelle, et qui consiste à envisager l'existence comme une série de dures épreuves morales et de mortifications physiques, apparaît à Saint-Evremond comme le comble de la déraison. Il n'est que de revenir à la lettre qu'il adresse en 1681 à son amie, Mme Mazarin, pour comprendre la répulsion viscérale que lui inspire cette sorte de lieu. Il la supplie de ne pas commettre la grave erreur de s'enterrer sans véritable vocation, elle, l'incarnation même de la beauté et des grâces, dans un couvent où il lui faudra subir incessamment, et sans pouvoir élever la moindre protestation, toutes sortes de brimades morales et physiques. Quand notre honnête homme lui écrit, Mme Mazarin n'avait pas entièrement tort de vouloir chercher un refuge loin de l'Angleterre. Des rumeurs d'un nouveau complot catholique circulaient à Londres, et elle fut dénoncée par un calomniateur comme étant une des conspiratrices. Mais Saint-Evremond ne veut pas tenir compte de ses inquiétudes légitimes. La seule chose qui l'épouvante, c'est l'acte sacrilège que Mme

---

s'abandonne; et de cette sorte de bien, comme des autres, l'usage est honnête, et la dissipation honteuse" (*Lettres*, I, 246).

[14] La réprobation qu'exprime Saint-Evremond à l'endroit des couvents de son temps n'est pas sans rappeler les critiques virulentes que Rabelais dirigeait contre les religieux dans *Gargantua* au siècle précédent. Elle préfigure aussi la critique de la vie monastique que formulera Diderot au siècle suivant dans *La Religieuse*. En effet, ce roman montre qu'au lieu de rendre l'être humain meilleur, la contrainte qui règne dans les couvents risque de le dépraver.

Mazarin va commettre contre elle-même en renonçant aux joies de la terre sans éprouver la moindre inclination pour le ciel:

> Pour vous, Madame, vous avez une Philosophie toute nouvelle. Opposée à Epicure, vous cherchez les peines, les mortifications, les douleurs; contraire à Socrates, vous n'attendez aucune récompense de la vertu; vous vous faites religieuse sans beaucoup de religion; vous méprisez ce monde ici et ne faites pas grand cas de l'autre; à moins que vous n'en ayez trouvé un troisième fait pour vous, il n'y a pas moyen de justifier votre conduite (*Lettres*, I, 387-388).

Mais l'institution du couvent n'est pas le seul objet de sa réprobation. Saint-Evremond récuse la vertu stoïcienne, coupable à ses yeux de raidir l'homme dans une résistance futile contre la douleur[15]. Les Stoïciens préconisent la pratique dans l'adversité d'une forme austère d'héroïsme appelée la constance, fondée sur l'idée que l'homme mesure sa grandeur en l'opposant à sa mauvaise fortune. Pour un épicurien comme Saint-Evremond, une telle attitude paraît le comble de l'absurde. La constance est incapable d'exalter la vie ou de répandre la joie. Elle ne peut même pas adoucir le sort du malheureux. Elle ne fait rien d'autre que de créer encore plus de souffrance. Au malheur qui naît de circonstances indépendantes de la volonté d'un individu s'ajoute celui, artificiel, qu'il s'inflige volontairement. Ainsi, cette noble vertu de la constance n'est, au fond, qu'un attentat contre la nature:

> Elle paroit la plus belle vertu du monde à ceux qui n'ont rien à souffrir, et elle est veritablement comme une nouvelle gesne à ceux qui souffrent. Les esprits s'aigrissent à resister, et au lieu de se defaire de leur premiere douleur, ils en forment eux mémes une seconde; sans la resistance ils n'auroient que le mal qu'on leur fait; par elle ils ont encore celuy qu'ils se font (*Œuvres*, IV, 105).

Saint-Evremond n'exclut pas totalement la possibilité d'avoir à recourir à la morale stoïcienne en certaines occasions. Mais comme il dit au comte d'Olonne: "...où l'on peut avoir besoin de son aide, on se passeroit bien de ses occasions" (*Lettres*, I, 253).

Au lieu donc de faire étalage d'un courage inutile, le sage selon Saint-Evremond prend son parti de la souffrance, en subit les assauts. Il sait que sous le coup d'une crise ni la morale stoïcienne ni même sa sagesse épicurienne ne peut le secourir. Il attend patiemment que la tourmente se dissipe. C'est alors que sa sagesse met à profit l'expérience de la douleur

---

[15] Evidemment, la pensée de Saint-Evremond s'oppose tout à fait à celle de Zénon de Chypre (342-270 avant J.-C.), fondateur de l'école stoïque, pour qui la vertu consistait à mépriser la douleur et à éviter le plaisir.

pour conférer aux moments de paix revenus une valeur infiniment précieuse. Par rapport à l'épreuve qu'il vient de traverser, le calme quotidien qu'on ne goûte généralement pas se transforme sous l'influence de la sagesse en source inattendue de jouissance. Ecrivant sur ce sujet au maréchal de Créqui alors qu'il était septuagénaire, notre moraliste s'exprime ainsi: "...je garde ma sagesse pour le temps où je n'ay rien à endurer; alors par des reflexions sur mon indolence, je me fais un plaisir du tourment qui je n'ay pas, et trouve un secret pour rendre heureux l'estat le plus ordinaire de la vie" (*Œuvres*, IV, 105).

Ces paroles d'un Saint-Evremond au seuil de la vieillesse font écho à bien d'autres prononcées pendant sa jeune maturité. Elle reconfirment que chez notre épicurien, le souci d'éviter la douleur et de cultiver le plaisir demeure jusqu'au bout la tendance profonde de sa nature. Mais la quête de l'euphorie ne suffit pas en elle-même. Encore faut-il qu'elle se poursuive sans bouleverser l'âme du sage. Notre moraliste ne conçoit pas le mouvement sans une autre vertu chère aux épicuriens: la sérénité. Réaliser l'union de ces deux états est la dernière étape à franchir afin de parvenir à l'état de grâce.

Pour Saint-Evremond, le mouvement est la condition même de la vie. Pour s'en convaincre, il n'est que de se rappeler l'origine de la recherche des plaisirs. Le sage s'arrache à la contemplation solitaire qui engendre des pensées affligeantes sur l'inéluctabilité de la mort, et cherche à exorciser cette hantise et à affirmer son vouloir vivre au moyen des divertissements. D'ailleurs, le mouvement est indispensable du simple fait qu'il s'oppose, de par sa nature, à l'immobilité définitive qu'est la mort. Le refuser, c'est sombrer dans la torpeur; c'est ne plus se sentir vivre, c'est-à-dire, éprouver avant qu'il ne se réalise vraiment le phénomène du non-être: "Qui ne sait que l'Ame s'ennuye d'être toûjours dans la même assiete, et qu'elle perdrait à la fin toute sa force, si elle n'étoit réveillée par les passions" (*Œuvres*, IV, 22). D'où l'antipathie de Saint-Evremond envers la régularité de mœurs et de la pruderie de la société hollandaise qui passent pour de la sagesse. Malgré d'éminentes qualités qu'il ne manque pas d'apprécier, Saint-Evremond trouve l'ambiance morale du pays assez soporifique, et se réjouit en 1670 quand il peut enfin retourner en Angleterre pour réintégrer la cour brillante de Charles II (*Lettres*, I, 157).

Si la stagnation fait peur au sage, les passions ne sont guère plus rassurantes, car elles recèlent un potentiel explosif. Certaines d'entre elles sont franchement dangereuses. D'autres qui paraissent bienfaisantes en principe, risquent de devenir très nuisibles sinon de provoquer des déflagrations quand elles se donnent libre cours. Le sage se doit donc de garder sa liberté face aux possibilités frémissantes de la vie affective qu'il porte en lui. Les verbes "se refuser" et "se prêter" dont se sert Saint-Evremond à propos des passions sont très révélateurs de son attitude à leur égard. Il s'agit d'exclure les passions dangereuses, et de cueillir l'essence seulement des agréables, faute de quoi les deux sortes sont capables de bouleverser l'être de fond en comble, et de lui rappeler brutalement sa vulnérabilité de créature humaine qu'il s'efforce d'oublier. Dans un paragraphe significatif de l'essai au maréchal de Créqui, Saint-Evremond exprime l'idée du recul qu'il faut prendre par rapport aux passions, et évoque les rapports subtils qui existent entre le mouvement émotif, la sérénité d'esprit et le bonheur:

> Une âme seroit heureuse qui pourroit se refuser tout entière à certaines passions et ne feroit seulement qui se prester à d'autres; elle seroit sans crainte, sans tristesse, sans haine, sans jalousie. Elle desireroit sans ardeur, espereroit sans inquietude, et joüiroit sans transport (*Œuvres*, IV, 107).

Bien qu'elle ne soit pas explicitement nommée, il est légitime de voir l'œuvre de la raison dans la conception evremonienne de la sérénité d'esprit. Il suffit de se rappeler que la raison est la force motrice de la sagesse. Elle libère la libido tout en la surveillant. Elle sélectionne les expériences à entreprendre à l'aide du critère du plaisir. Or, l'état de bonheur serein souhaité par le sage, que Saint-Evremond évoque au conditionnel pour mieux souligner son caractère idéal, serait impensable sans l'activité de cette faculté devenue épicurienne. C'est la raison qui accueille les passions tout en les soumettant à un contrôle exigeant. Elle trie sur le volet celles qui sont les plus propres à éveiller doucement l'être, à le faire vibrer agréablement, mais les empêche de se développer au point où elles se transforment en douleurs ou supplices par leur intensité même. Ainsi, en s'unissant à la libido pour la gouverner, la raison réalise un équilibre délicat entre deux aspirations profondes et en apparence contradictoires chez l'homme: le besoin d'activité et le besoin de repos. Du même coup la raison crée dans l'homme un univers rassurant, harmonieusement ordonné, autonome dans son fonctionnement mais ouvert à l'extérieur, où le divertissement, règle suprême du jeu, est source de joie et de quiétude durables.

Cette aspiration à un état d'euphorie à travers la sérénité animée de l'être s'avère une constante de la pensée de Saint-Evremond. En 1647, c'est-à-dire trente-huit ans environ avant la rédaction des pages que nous venons de citer de l'essai à M. le maréchal de Créqui, Saint-Evremond formulait au présent la volonté de faire régner chez lui une joie tranquille qu'il entendait déguster en connaisseur raffiné:

> Je veux que la connoissance de ne rien sentir qui m'importune, qui la reflexion de me voir libre et maître de moy, me donne la volupté spirituelle du bon Epicure; j'entends cette agréable indolence, qui n'est pas un état

sans douleur et sans plaisir; c'est le sentiment délicat d'une joye pure, qui vient du repos de la conscience, et de la tranquillité de l'esprit (*Œuvres*, IV, 21).

On dirait que ces propos écrits à 33 ans préfigurent ceux de sa vieillesse. On y retrouve les mêmes composantes de l'euphorie telle qu'elle est décrite dans le passage de 1685: maîtrise de soi inaltérable réalisée par l'esprit, proscription de toute émotion affligeante, présence de sensations agréables pour animer l'épicurien sans le bouleverser, conscience morale et esprit parfaitement intégrés dans l'ensemble psycho-physiologique de l'être. Ce que Saint-Evremond souhaite acquérir dès 1647, et qu'il appelle tour à tour "volupté spirituelle", "agréable indolence", et "sentiment délicat d'une joye pure", c'est la certitude de posséder pleinement son être sans effort, de pouvoir planer sur son existence avec sérénité au moment même où il fait corps avec elle.

Dans quelle mesure Saint-Evremond a-t-il vécu en conformité avec son idéal? Il est impossible d'y répondre avec une précision absolue à cause de l'extrême discrétion qu'il met à avouer ses états d'âme. Saint-Evremond n'a jamais été de ceux qui s'épanchent à flot. Mais en confrontant diverses sources telles que ses essais, sa correspondance, et la biographie écrite par son ami, le docteur Silvestre, on peut former une opinion assez nette sur ce sujet.

Dans toute vie morale il existe un décalage entre le souhaitable et le réel, et celle de Saint-Evremond ne fait pas exception. Il en était d'ailleurs pleinement conscient. En bon disciple de Montaigne, il savait que le comportement des hommes se caractérise par l'inégalité et la contradiction, que ce soit à un moment déterminé ou à des époques différentes. Le fait d'avoir formulé en 1685 son voeu d'euphorie sereine au conditionnel trahit une prise de conscience de sa part de l'impossibilité de la réaliser dans un sens absolu. Plusieurs événements de sa vie confirment sa vulnérabilité à la douleur en même temps que la fragilité de son idéal. Selon son biographe, Silvestre, il tomba "dans une profonde mélancholie, et dans une espèce de langueur" pendant son premier séjour d'exilé en Angleterre après que les tentatives de ses amis en France pour fléchir la colère du roi Louis XIV eurent échoué. A la mort de Mme Mazarin, il éprouva une profonde affliction, et encore une fois selon Silvestre "ne pouvoit quelquefois la nommer sans répandre des larmes" (*Œuvres*, I, XXXIX).

Loin de diminuer son mérite, ces preuves de sensibilité le rendent encore plus sympathique à nos yeux. Il aurait fallu qu'il fût inhumain pour traverser de telles périodes de détresse sans que sa sérénité en fût ébranlée. Et le courage sans ostentation qu'il déploya par la suite pour reconquérir son équilibre est digne d'admiration. Voilà le trait sur lequel il est nécessaire d'insister quand on essaie d'évaluer la fidélité de Saint-Evremond envers son idéal. Ce ne sont pas tant ses moments de vulnérabilité qui comptent que sa capacité de les surmonter. De fait, au cours de sa vie d'exilé, il parvint à triompher le plus souvent de ses multiples épreuves avec dignité et bonne humeur.

Que le tempérament de Saint-Evremond ait joué un rôle prépondérant dans le maintien de son égalité d'âme nous semble hors de doute. Une morale réussit dans la mesure où elle correspond aux besoins profonds de la personne qui la choisit. Si Saint-Evremond est resté fidèle au principe de la sérénité euphorique, c'est que sa nature l'y prédisposait. D'après certaines de ses lettres, on s'aperçoit qu'il jouissait de qualités non négligeables: robustesse émotive, puissance de rebondissement, penchant à la gaieté, et une sorte de bon sens quasi biologique qui l'empêchait de se comporter en héros de tragédie. Pendant ses périodes de détresse, il demeurait réfractaire à l'auto-pitié, il se gardait d'envenimer ses plaies en les grattant. A l'inverse d'une certaine catégorie de dévots qui embrassent la foi à force de s'apitoyer sur eux-mêmes, Saint-Evremond prenait son parti de ses malheurs, et s'efforçait de ne plus y songer. Dans une lettre au comte d'Olonne il disait catégoriquement: "Jamais disgrace ne m'a donné cet attendrissement; la nature ne m'a pas fait assés sensible à mes propres maux" (*Lettres*, I, 261). Oui, il y eut des moments où ses souffrances physiques parvenaient à le terrasser par leur intensité, mais il rebondissait de plus belle, soutenu toujours par un vouloir vivre viscéral qui se traduisait par le désir de se réjouir. Au comte de Lionne il écrivait allègrement: "J'ay des diablesses de vapeurs qui me tourmentent, dont je ne me puis défaire; mais elles ne sont pas si-tôt passées que je suis plus gay que jamais" (*Lettres*, I, 153). Grâce à cette capacité de composer avec l'infortune puis de rebondir, Saint-Evremond pouvait déclarer au comte d'Olonne avec une fierté légitime que ses revers d'exilé ne l'avaient jamais empêché de poursuivre sa recherche du plaisir, et d'en trouver. Il s'imposait un air contrit en signe de soumission à la volonté du roi, "mais sçachez", disait-il, "que sous des tristes dehors et une contenance mortifiée, je me suis donné toute la satisfaction que j'ay sçeu trouver en moy mesme et tout le plaisir que j'ay pû prendre dans le commerce de mes amis" (*Lettres*, I, 255).

L'état d'euphorie sereine auquel souhaite accéder l'épicurien ne doit pas être envisagé comme un acquis permanent sur lequel l'homme puisse s'appuyer pour parcourir les phases successives de son existence. En tant qu'entité psycho-physiologique, l'homme se modifie profondément à travers le temps. Les plaisirs d'un âge deviennent la gêne d'un autre. Aussi l'idéal épicurien change-t-il forcément de signification selon qu'il s'agit d'un homme jouissant de toutes ses ressources physiques et mentales ou d'un vieillard. Saint-Evremond cite la vie du saint patron des sages, Epicure lui-même, pour corroborer cette vue. Lorsque Epicure était en bonne santé, il recherchait les "mouvemens agréables". Après être tombé dans les infirmités de la vieillesse, il considérait l'indolence comme "le souverain bien" (*Œuvres*, III, 437). Saint-Evremond exprime une opinion pareille en des termes plus généraux dans deux autres essais, celui adressé au maréchal de Créqui, et un texte significatif qui s'intitule "Sur la retraite". Dans la fleur de l'âge, l'homme, selon notre auteur, est propulsé vers l'extérieur par une énergie débordante. Arrivé au seuil de la vieillesse, il se retire de plus en plus en lui-même pour conserver le peu qui lui reste. A la dernière époque de la vie il ne recherche pas tant le plaisir actif que l'indolence. Le plaisir finirait par épuiser à tout jamais son réservoir de forces vives. L'indolence les mesure au compte-goutte. Le premier principe de la sagesse ne satisfait donc plus l'épicurien devenu vieux mais qui s'attache toujours à la vie avec la même ténacité. Il lui en faut un deuxième qui corresponde à son nouvel état et qui lui permette de continuer à jouir de la vie selon ses possibilités dorénavant limitées. En nous fondant sur les deux essais que nous venons de mentionner, nous pouvons formuler ce deuxième principe de la sagesse de la façon suivante: la création de modalités d'existence assez souples pour s'accommoder de la décroissance des forces vives de l'être.

Une loi physiologique très dure commande la période de la vieillesse, à savoir, l'écoulement irréversible de l'énergie. Devant une telle évidence, le sage réclame enfin la liberté de voir clair dans l'ensemble des valeurs et des obligations qui règlent les rapports de l'individu avec la société. La plupart d'entre elles étant les produits de la fantaisie, n'exercent plus d'attraction sur lui. Quand on est jeune, il est normal de poursuivre des chimères, de s'enflammer pour des illusions. A la dernière époque de l'existence où la conservation de l'énergie est indispensable à la survie, poursuivre une telle conduite serait absurde. Aussi le sage procède-t-il à une démystification des valeurs imaginaires pour ne retenir qui celles qui se justifient par rapport à la raison: "La raison a presque tout fait dans les premieres institutions; la fantaisie a presque tout gagné sur elle dans la suite. Or la vieillesse seule a droit de rappeller ce que l'une a perdu et de se dégager de ce qu'a gagné l'autre" (*Œuvres*, IV, 106). En se débarrassant de toutes sortes de contraintes sociales artificielles, Saint-Evremond accomplit une double libération: la sienne propre, et celle d'autres personnes qui s'y trouvent assujetties inutilement comme lui. S'il continue à pratiquer certains devoirs imaginaires, ce n'est que dans la mesure où ils lui apparaissent comme des divertissements, et par conséquent, n'ont plus de caractère contraignant.

De même que Saint-Evremond révise l'ensemble de ses devoirs sociaux, de même il repense ses rapports avec le monde des honnêtes gens. Non qu'il ait envie de le fuir aux premiers signes de la déchéance physique attachés au phénomène du vieillissement. Il a toujours considéré les rapports avec ces êtres d'élite comme la source suprême du divertissement, et sur ce point il ne variera jamais. Il éprouve plutôt le besoin de les modifier en fonction des changements survenus dans sa propre vie. A cet égard, on est frappé par l'extrême élégance de sa conception. Saint-Evremond s'applique à établir une harmonie entre son nouvel état physique et moral d'une part, et le monde des honnêtes gens avec lequel il souhaite toujours entretenir des relations. Harmonie fondée sur un sens exquis de la nuance. Saint-Evremond ne cherche plus à s'intégrer dans la société des jeunes. Il sait qu'il y détonnerait et se rendrait ridicule. Au contraire, il se rapproche des personnes de son âge, se lie avec elles plus étroitement, et cueille parmi elles les plaisirs compatibles avec son état. C'est seulement au bord de la décrépitude que le sage songe à renoncer définitivement au monde, mais sa retraite même est adoucie par la présence de vieilles gens attendant elles aussi leur dernière heure. Ainsi, à l'époque de la vieillesse, l'attitude de Saint-Evremond envers le monde se caractérise par trois traits principaux: le renoncement à la société des jeunes, le resserrement des liens avec les amis parvenus à la même étape de leur existence que lui, et, seulement en cas de besoin pressant, la retraite finale.

Pour singulier que cela puisse paraître, le mobile principal qui détermine le sage à renoncer à la société des jeunes, c'est le sentiment de reconnaissance. Quand il était dans la fleur de l'âge, l'épicurien se servait du grand monde comme d'un arsenal de jouissances pour conjurer l'angoisse inséparable de sa condition, et faire de sa vie un divertissement perpétuel. Il avait donc contracté une dette de gratitude vis-à-vis de ce monde où il avait longtemps évolué. N'ayant plus les moyens de plaire et d'y jouer un rôle utile, il s'acquitte de sa dette d'une façon extrêmement efficace. Il s'éloigne du grand monde sans bruit: "Son commerce nous a fourni des plaisirs tant que nous avons été capables de les goûter; il y auroit de l'ingratitude à lui être à charge, quand nous ne pouvons lui donner que du dégoût" (Œuvres, IV, 288).

Avec sa lucidité coutumière, Saint-Evremond se rend compte qu'il existe entre les vieux mondains et les jeunes de son temps une incompatibilité irréductible. Les premiers, après une longue expérience de la vie, pensent avoir acquis la sagesse. Les deuxièmes se complaisent tout simplement dans leur folie. Loin d'embellir de leur présence la société des jeunes, les vieux courtisans y introduisent une dissonance choquante du simple fait que le bon sens et l'esprit sont de faibles soutiens contre la vitalité, l'allégresse et la séduction physique. La jeunesse possède des attraits d'une force immédiate qui l'emportent irrésistiblement sur des qualités peut-être plus solides mais secrètes. Saint-Evremond constate cette évidence sans la moindre amertume: "Ne nous flatons pas de nôtre bon sens, une folie enjoüée le sçaura confondre, et le faux d'une imagination qui brille dans la jeunesse fera trouver ridicules nos plus delicates conversations" (*Œuvres*, IV, 109). Il est important de noter que Saint-Evremond ne se laisse pas éblouir par l'éclat de la jeunesse au point de le trouver supérieur à la maturité d'esprit des vieux. Il conseille simplement aux épicuriens délicats de son âge d'accepter sans la déplorer cette loi sociale qui veut que les jeunes éclipsent les vieux, et de chercher parmi leurs pairs l'approbation de leur mérite (*Œuvres*, IV, 109).

Le sage qui, à l'instar de Saint-Evremond, prend son parti de son échec vis-à-vis des jeunes d'une âme égale, fait preuve de lucidité et de courage. D'autres vieillards n'ont pas les mêmes mérites. Une métamorphose fâcheuse les guette à la dernière période de leur vie. Ils se solidifient en blocs d'aigreur contre la jeunesse. Il ne leur sert à rien d'avoir vécu si longtemps, puisque leur longue ·expérience aboutit à un comportement anti-social. On dirait que l'aigreur dont ils sont abreuvés pervertit leur vision du réel, et s'exprime sous une forme particulièrement virulente: la jalousie. Etant prisonniers d'une nature de plus en plus sclérosée, ils affichent une hostilité systématique envers tous les aspects agréables de la vie dont ils ne sauraient plus jouir. A leurs yeux, leur nature aigrie devient *la* nature. Il suffit que les jeunes en aient une autre radicalement différente pour être condamnés (*Œuvres*, IV, 290). Mais il y a pire encore. Ceux dont la vieillesse a tourné à l'aigre opèrent une confusion de valeurs particulièrement pernicieuse. Comme Saint-Evremond le fait remarquer élégamment: "...les Vieilles-gens s'attachent à leur humeur comme à la vertu, et se plaisent en leurs défauts par la fausse ressemblance qu'ils ont à des qualités loüables. En effet, à mesure qu'ils se rendent plus difficiles, ils pensent devenir plus délicats. Ils prennent de l'aversion pour les plaisirs, croyant s'animer justement contre les Vices" (*Œuvres*, IV, 291). La vraie vertu, telle que la conçoit le sage, est magnanime. Elle ne s'offusque pas du penchant chez les jeunes pour la jouissance. Mais on n'a pas affaire à la vraie vertu. On n'a affaire qu'à son simulacre sous des formes diverses: "la rudesse", "l'austérité", "le chagrin", "le flegme" (*Œuvres*, IV, 290-291). Ces vices avec lesquels les vieillards font corps, et dont ils ne peuvent se débarrasser, sont transformés en critères moraux absolus qui justifient la condamnation des jeunes. A la valorisation de leurs malheurs correspond la dévalorisation du bonheur des autres. Etant incapables dorénavant de contribuer à l'euphorie générale, ils s'évertuent, au nom de faux critères, à la censurer dès qu'ils la voient chez autrui.

Pour ceux qui sont tombés dans un tel état de déchéance sociale, la retraite est la seule solution possible. Par contre, pour un sage comme Saint-Evremond qui s'est bien gardé de jouer le rôle ridicule de censeur, l'heure de la retraite n'a pas encore sonné. Bien qu'il se soit déjà retiré de la société des jeunes, la diminution de ses forces vives n'est pas encore si dramatique qu'elle justifie le renoncement au monde tout court. Saint-Evremond choisit une position intermédiaire entre la cour où fourmillent les jeunes et la retraite définitive qu'il décrit dans sa lettre au maréchal de Créqui comme "un milieu entre l'assiduité et l'éloignement" (*Œuvres*, IV, 108), et qu'il précise davantage sous une forme négative dans son essai "De la retraite": "De la façon que je vis, ce n'est ni une société pleine, ni une retraite entiere" (*Œuvres*, IV 299).

Or ce "milieu entre l'assiduité et l'éloignement" qui n'est "ni une société pleine, ni une retraite entière", n'est autre chose qu'un microcosme très personnel situé à l'intérieur du grand monde, alimenté par lui et composé de gens triés sur le volet pour lesquels Saint-Evremond éprouve une affinité profonde. Microcosme rassurant, consolant, puisque Saint-Evremond n'y trouve que des vieillards également sages qui apprécient les valeurs intangibles mais précieuses de l'esprit et qui, affaiblis par l'âge eux-mêmes, ne s'offusquent pas de sa détérioration physique. Dans cette société homogène de vieux sages, les préoccupations qui détonneraient ailleurs paraissent tout à fait naturelles. Après avoir souligné cette solidarité dans l'infirmité, Saint-Evremond conclut:

> Ainsi je n'aurai pas honte de chercher en leur presence des secours contre la foiblesse de l'Age, et je ne craindrai point de suppléer avec l'art à ce qui commence à me manquer par la Nature. Une plus grande précaution contre l'injure du Tems, un ménagement plus soigneux de la santé, ne scandaliseront point les personnes sages; et on se doit peu soucier de celles qui ne le sont pas (*Œuvres*, IV, 289-290).

Etant sur un pied d'égalité avec son entourage, Saint-Evremond procède à une revalorisation de son être défaillant. Il demeure parfaitement conscient que les dégâts occasionnés par la vieillesse sont irréparables. Mais il sait que dans son milieu de sages vieillards, certaines faiblesses peuvent passer pour des qualités. Les vieilles gens fuient la surexcitation et aspirent à la tranquillité. Aussi des facultés qui paraîtraient émoussées aux jeunes leur semblent-elles, au contraire, raffinées. Des modes de vie que les jeunes jugeraient étriqués sont aux yeux des vieillards le signe d'un grand discernement. Avec une ingéniosité teintée d'ironie souriante, Saint-Evremond profite de ce préjugé en sa faveur pour transformer les passifs en actifs. Pour apprécier au maximum cet élégant exercice mental, cédons-lui la parole:

> Si après avoir perdu mes passions, les affections me demeurent encore, il y aura moins d'inquiétude dans mes plaisirs, et plus de discretion dans mon procedé à l'égard des autres; si mon imagination diminuë, je n'en plairai pas tant quelquefois, mais j'en importunerai moins bien souvent; si je quitte la foule pour la compagnie, je serai moins dissipé; si je reviens des grandes compagnies à la conversation de peu de gens, c'est que je saurai mieux choisir (*Œuvres*, IV, 289).

Bien entendu, Saint-Evremond parle ici des dédommagements personnels que lui apportera la vieillesse tout en l'affaiblissant. Mais puisque leur efficacité tient surtout au contexte social particulier où évolue l'auteur, on peut affirmer que c'est à son microcosme de vieux épicuriens qu'il sera redevable de sa tentative réussie d'auto-revalorisation.

Outre la satisfaction d'être rehaussé à ses propres yeux, Saint-Evremond éprouve au sein de son groupe de sages vieillards des plaisirs qu'il qualifie d'une expression qui ne serait pas déplacée sous la plume d'un théologien de son temps: "innocentes douceurs" (*Œuvres*, IV, 299). Est-ce à dire qu'à la dernière époque de sa vie il renie l'épicurisme libertin de sa jeunesse? Pas le moins du monde. Comme à l'accoutumée, Saint-Evremond a le grand mérite de prendre connaissance de sa situation telle qu'elle est et d'en tirer le meilleur parti. Il sait que ses possibilités de jouissance sont dorénavant très limitées. D'une part, ses forces physiques supporteraient mal les transports érotiques. Même dans la fleur de l'âge, il redoutait les flambées de la passion. D'autre part, son tempérament resté hédoniste jusqu'au bout répugne toujours à la vertu telle qu'elle est pratiquée dans les retraites religieuses, et dans laquelle il ne voit que vexations futiles au lieu de la béatitude promise. Ainsi il ne lui reste plus que la communion de cœurs et d'esprits qu'engendre l'amitié:

> Chaque jour, je me dérobe aux connoissances qui me fatiguent, et aux conversations qui m'ennuyent; chaque jour je cherche un doux commerce avec mes amis, et fais mes délices les plus chers de la délicatesse de leur entretien (*Œuvres*, IV, 299).

Sans doute Saint-Evremond aurait-il préféré une forme de vie beaucoup plus animée, plus intense, d'où ne seraient pas exclus les frémissements de la sensualité. Mais il n'était pas de ceux qui s'abîment dans d'inutiles regrets. Au lieu de déplorer ce qui lui manquait, il se réjouissait de ce qui lui restait encore. Il pensait que tout bien considéré, une douce indolence valait infiniment mieux que la douleur. Cette volonté de continuer à jouir de la vie, fondée sur un optimisme raisonnable, est évoquée dans le poème qui clôt l'essai sur la retraite. Sans être sublime de lyrisme (les poèmes de Saint-Evremond ne le sont jamais), il exprime nettement d'une part la prise de conscience de la perte irréversible de sa jeunesse avec tous les plaisirs ardents qu'elle implique, de l'autre l'acceptation d'une forme très diminuée de plaisir comme un don d'un prix inestimable qui vaut la peine d'être conservé:

> Il n'est plus de beaux jours
> Quand il n'est plus d'amours:
> Mais nôtre esprit défait de son ardeur
>   premiere,
> Garde pour son couchant une douce
>   lumiere,
> Qui nous fait oublier la plus vive saison
> Par les derniers plaisirs que donne la
>   Raison
> (*Œuvres*, IV, 299).

Saint-Evremond s'en est toujours tenu à cc mode de vie intermédiaire entre le monde et la retraite définitive, sans avoir jamais exprimé autrement que sous une forme théorique son intérêt pour celle-ci. Il y a trois interprétations possibles de son choix, toutes également hypothétiques:

1. Il avait vieilli avec grâce et dignité, par conséquent ne croyait pas qu'il fût nécessaire de renoncer complètement au monde;
2. Malgré sa lucidité au sujet de ses infirmités, et de l'écart existant entre lui et des gens plus jeunes que lui, Saint-Evremond éprouvait de la répugnance à quitter leur société. A l'appui de cette hypothèse, on peut citer le rôle parfois ambigu et humiliant qu'il se sentait obligé de jouer vis-à-vis de femmes beaucoup plus jeunes que lui comme Mme Mazarin et Mme de la Perrine[16], afin d'assurer leur complaisance à son égard, sachant, comme l'a dit René

---

[16] On ne saurait guère rien sur la marquise de la Perrine sans les lettres et les poèmes de Saint-Evremond. Protestante française réfugiée à Londres, veuve, démunie de ressources, Mme de la Perrine avait une trentaine d'années quand elle fit la connaissance de notre auteur. C'était une femme intelligente, douée d'une voix agréable, qui appréciait aussi bien les propos polissons que les pensées sérieuses. En parcourant les écrits que Saint-Evremond lui consacra, on devine un drame intime assez triste qu'il s'efforça de traiter à la légère: celui d'un vieillard atteint d'infirmités, prêt à jouer un rôle plutôt humiliant pour s'attirer la bienveillance d'une dame beaucoup plus jeune.

Ternois, qu'un vieillard miné par toutes sortes d'infirmités a beaucoup à se faire pardonner (*Lettres*, II, 421);

3. Il a rejeté l'idée d'une retraite parce qu'à l'instar de la reine du Portugal qui y songeait elle aussi après la mort de son époux, il n'a vu dans la vie conventuelle de son temps qu'une suite ininterrompue de vexations de toutes sortes (*Œuvres*, IV, 294-295).

Quel qu'ait été le motif déterminant de sa décision de ne pas renoncer au monde, Saint-Evremond pensait néanmoins que s'il existait des couvents vraiment humains, ce seraient des lieux idéaux pour les vieilles gens qui sont importunées par la foule des jeunes et qui les importunent à leur tour. Inspirés par la raison ou la nature (Saint-Evremond accorde le primat tantôt à l'une, tantôt à l'autre), les vieillards usés par les agitations d'une longue vie, et aspirant au repos, prendraient la décision d'en intégrer un pour y "mettre un temps entre le Vie et la Mort" (*Œuvres*, IV, 291). Il importe peu que les vieux sages choisissent le couvent pour des mobiles religieux ou purement épicuriens, car ils recherchent essentiellement la même chose: un sanctuaire de paix et de consolation. Tel que Saint-Evremond l'imagine dans son état idéal, le couvent est un microcosme en dehors du grand monde, où des êtres dont le développement psychique, social et physique est achevé, puissent se ranimer mutuellement de leur chaleur humaine.

Cette solidarité spirituelle ainsi créée sera d'autant plus réconfortante qu'elle s'appuiera sur la foi chrétienne dont le principe fondamental est la charité. Parlant de la vieillesse qui recherche un refuge à la fois contre l'importunité de la foule et le chagrin de la solitude, Saint-Evremond conclut:

> La seule douceur qui lui reste est celle d'une honnête société, et quelle société lui conviendroit mieux qu'une société religieuse, où les assistances humaines se donneroient avec plus de charité, et où les vœux seroient tous unis, pour demander à Dieu le secours qu'on ne peut attendre raisonnablement des hommes? (*Œuvres*, IV, 292).

Ainsi, même à l'ultime étape de sa trajectoire existentielle, en dépit de toutes les altérations désolantes qui se produisent dans son être, l'homme, selon Saint-Evremond, éprouve le besoin de se divertir. En lui offrant la "douceur d'une honnête société", seul divertissement dont il soit toujours capable de jouir, le couvent idéal justifierait son existence.

Mais c'est là où le bât le blesse. Comme nous l'avons déjà constaté, les couvents du temps de Saint-Evremond nient le principe du divertissement. Dans son essai "De la retraite", Saint-Evremond dénonce la vie conventuelle avec la même vigueur qu'ailleurs. Il l'accuse de créer inutilement le malheur en érigeant la contrainte en règle fondamentale.

Pour les directeurs, la tyrannie devient un droit. Pour les membres, l'obéissance la plus aveugle se présente comme une obligation. Dans des conditions pareilles, les membres subissent une des pires dégradations qui soient: la perte de leur liberté. Perte d'autant plus pernicieuse qu'elle met en question l'authenticité de leur engagement. Pour que l'observation des pratiques de la foi religieuse conserve sa valeur, il est indispensable qu'elle se fonde sur un choix libre. Assumer les peines, fuir les péchés, pratiquer le bien, c'est-à-dire, les actes qu'accomplit un croyant afin de mériter la grâce, et de s'améliorer comme être humain, n'ont plus aucun sens quand ils sont le résultat de la tyrannie au lieu de jaillir d'une volonté ardente. Mais ce n'est pas tout. Pour justifier les brimades sans nombre qu'ils se croient autorisés à infliger à leur membres, les couvents inventent des péchés qu'on ne trouve pas dans le christianisme même. Dès lors qu'ils visent à culpabiliser leurs membres à outrance, les couvents deviennent presque littéralement des préfigurations de l'enfer. Pour toutes ces raisons, Saint-Evremond récuse leur façon d'organiser la vie religieuse, et les rejette comme anti-humains:

> Il n'est pas juste que le peu de liberté que sauve la Nature des loix de la Politique et de celles de la Religion, vienne à se perdre tout à fait dans les constitutions de ces nouveaux Législateurs, et que des personnes qui entrent dans le Couvent par l'idée de la douceur et du repos, n'y rencontrent que de la servitude et de la douleur (*Œuvres*, IV, 296).

Autant les couvents que dénonce Saint-Evremond briment leurs membres, autant le modèle qu'il imagine les réconforte. Alors que les premiers exigent la soumission la plus oppressive de la part de ceux qui souhaitent achever leur vie dans la paix et la simplicité, le deuxième leur offre la liberté de réaliser leur vœu. Au Dieu non-chrétien, non-charitable, dépourvu de confiance en l'homme, qui sait seulement interdire le bonheur, Saint-Evremond substitue le sage lui-même, soit chrétien soit agissant comme s'il l'était, et le reconnaît comme juge de ce qui lui convient pour bien vivre:

> …je voudrois dans un Couvent une frugalité propre et bien entendüe, où l'on ne regarderoit point Dieu comme un Dieu chagrin, qui défend les choses agréables parce qu'elles plaisent; mais où rien ne plairoit à des esprits bien faits, que ce qui est juste ou tout à fait innocent (*Œuvres*, IV, 297).

Ce mode d'existence doux et paisible, dernière forme de divertissement pour le sage à qui il reste très peu de temps à vivre, préfigure déjà le repos définitif dont il se rapproche. En vertu de l'ambiance réconfortante qu'elle crée, la retraite conçue par Saint-Evremond offre aux vieux épicuriens un lieu de passage idéal à travers lequel ils peuvent glisser insensiblement de la vie à la mort[17]. Aussi aide-t-elle le sage à suivre le conseil que Saint-

Evremond intercala en 1690, c'est-à-dire treize ans avant sa propre mort, dans l'essai au comte d'Olonne sur les plaisirs: "Du reste, il faut aller insensiblement où tant d'honnêtes gens sont allés devant nous, et où nous serons suivis de tant d'autres" (*Œuvres*, IV, 15).

Cette idée d'un sanctuaire pour honnêtes gens, où des vieillards usés par la vie puissent se mettre à l'abri des agitations et des soucis du monde, soulève une question connexe qui préoccupait beaucoup Saint-Evremond et certains de ses contemporains. Si le monde accapare au point de déposséder l'homme de sa liberté et de son repos, ses biens les plus précieux, pourquoi attendre la vieillesse pour le fuir? Pourquoi ne pas se réfugier tout de suite dans une retraite? Une telle pensée vient à l'esprit de Saint-Evremond et de son ami, le maréchal de Clérambault[18] en 1661, lors de l'arrestation par Louis XIV de leur ami commun, le surintendant des finances, Foucquet, avec qui ils avaient des rapports compromettants. Accablés par sa chute, ils craignaient un châtiment semblable. Environ vingt-cinq ans plus tard, Saint-Evremond fait parler le maréchal de Clérambault dans une prosopopée qui exprime leur prise de conscience angoissée de la tyrannie que la fortune est susceptible d'exercer sur l'homme. On dirait que pour les deux amis, il existe un lien organique entre la vie dans le monde et la vulnérabilité de l'homme vis-à-vis de la déesse capricieuse. C'est dans le monde que l'homme est entraîné par la poursuite d'objets futiles et chimériques, ou qui le paraissent du moins, par rapport aux biens essentiels dont il se laisse spolier. C'est dans le monde également qu'il devient victime de circonstances indépendantes de sa volonté, et qu'il paie quelquefois de son être même sa tentative de maîtriser la fortune. Mais ce qui est encore plus désolant, c'est que même une victoire définitive sur cette maîtresse normalement volage porte en

---

[17] Cette acceptation tranquille de la mort chez Saint-Evremond n'est pas sans rappeler l'attitude qu'adopte Montaigne à la dernière étape de sa vie. Après avoir préconisé l'accoutumance à la mort, Montaigne conseille l'indifférence. Dans le chapitre XII tiré du troisième livre de ses *Essais* et intitulé "De la phisionomie", il dit: "si vous ne sçavez pas mourir, ne vous chaille; nature vous en informera sur le champ, pleinement et suffisamment; elle fera exactement cette besogne pour vous; n'en empeschez vostre soing".

[18] Philippe de Clérambault, comte de Palluau (1606-1665) fut un des meilleurs amis de Saint-Evremond. Bien qu'il fût nommé maréchal de France en 1653, il avait un talent militaire assez médiocre. Mais il possédait au plus haut degré la débrouillardise, l'esprit insinuant, et la perspicacité du courtisan idéal. Il put ainsi se faire pardonner des bévues qui auraient été fatales à bien d'autres. Il faillit être entraîné dans la ruine du surintendant des finances, Foucquet, et après l'arrestation de ce dernier, dut se tenir un peu à l'écart. Saint-Evremond disait à Mme Mazarin que Clérambault et Créqui avaient été pour lui "tout le monde".

elle une autre forme de servitude. Ses conquérants sont possédés par les honneurs et les biens matériels qu'ils lui arrachent au lieu de les posséder. Ils enchaînent leur existence aux objets extérieurs à tel point qu'à l'heure de la mort ils ne savent pas mourir. Le maréchal de Clérambault a l'air de suggérer qu'en comblant ses adorateurs, la fortune leur assène le coup le plus dévastateur, et se réserve ainsi le triomphe suprême, puisque la certitude de tout perdre est pour ces ambitieux un supplice pire que la perte de la vie: "Ne semblent-ils pas n'avoir acquis tant de gloire, et amassé tant de biens, que pour se préparer le tourment de ne savoir ni les quitter, ni les retenir"? (*Œuvres*, IV, 298).

Ce désir d'une retraite n'a jamais dépassé le stade de nostalgie passagère. Saint-Evremond retrouve une vie de cour brillante chez le roi Charles II d'Angleterre, et son ami, le maréchal de Clérambault, après un moment de désarroi, redevient le courtisan obséquieux. Et comment s'en étonner? Or, ce qui est vrai pour un homme déjà mûr l'est à plus forte raison pour un jeune au début de sa carrière dans le monde. Sans répondre explicitement à la question que nous avons soulevée sur le renoncement au monde avant la vieillesse, Saint-Evremond laisse entendre dans son essai au maréchal de Créqui qu'à l'époque de la jeunesse le rejet du monde avec ses valeurs chimériques serait une grave erreur. Comme nous l'avons déjà constaté, le moraliste pense qu'à chaque âge de l'homme doit correspondre le comportement qui l'accomplira le mieux. Chez le jeune, le trop plein d'énergie physique et psychique doit s'épancher au-dehors. La poursuite de toutes sortes d'illusions et d'ambitions représente donc pour lui une des voies de l'épanouissement. A son âge, ne pas s'enthousiasmer pour des projets romanesques, ne pas vouloir déraisonner quelque peu, serait agir à l'encontre de ses tendances profondes: "J'ose dire que s'il suivoit en tout la véritable raison, il seroit plus méprisé que s'il ne la suivoit en rien" (*Œuvres*, IV, 106). Chez le vieillard, la décroissance des forces vives nécessite, au contraire, le repliement sur soi. N'ayant plus d'énergie à dépenser dans des aventures romanesques ou pour la satisfaction de grandes ambitions, il devient lucide par besoin d'auto-conservation. C'est alors qu'il peut quitter le monde avec la certitude que son départ ne sera pas préjudiciable à son développement. Cette différence fondamentale de nature qui justifie l'expansion vers le monde chez les jeunes, et la retraite progressive allant jusqu'au renoncement chez les vieux, est confirmée dans un autre passage de l'essai au maréchal de Créqui où Saint-Evremond, faisant allusion à sa propre vie, évoque la transition de la jeunesse à la vieillesse assagie. La comparaison qu'il y trace entre son passé et son présent est d'une lucidité charmante:

Autrefois mon imagination errante et vagabonde se portoit à toutes les choses estrangeres, aujourd'huy mon esprit me rameine au corps et s'y unit davantage: à la verité ce n'est point par le plaisir d'une douce liaison, c'est par la nécessité du secours et de l'appuy mutuel qu'ils cherchent à se donner l'un à l'autre (*Œuvres*, IV, 104).

Ces considérations sur le rapport qui existe entre l'état psycho-physiologique de l'homme et son attitude envers le monde nous ramènent à l'euphorie que Saint-Evremond compte faire régner dans sa vie: les divertissements. Bien que le sage ne le dise jamais explicitement, le rapprochement de l'essai "Sur les plaisirs" et de celui au maréchal de Créqui nous autorise à penser que pour lui c'est la capacité de l'épicurien de continuer à jouir à fond des divertissements propres aux jeunes gens qui devrait déterminer sa présence au monde ou sa décision de s'en éloigner par étapes successives. Dans l'essai "Sur les plaisirs" nous avons vu quelle place essentielle occupent les divertissements dans l'élaboration de l'état d'euphorie. Ils permettent à l'homme d'exorciser l'angoisse de la mort et d'exploiter à fond ses ressources internes. Or, la poursuite d'illusions telles que "les apparences", "l'éclat", "le faux honneur", "la vanité" et "les chimères" que Saint-Evremond recommande aux jeunes hommes, est-ce autre chose qu'une forme passionnante de divertissement? Peu importe que le jeune homme en pénètre ou non le caractère illusoire, pourvu qu'il en jouisse, car l'essentiel, c'est de jouir de tout le clavier des possibilités d'expression tant qu'il est dans la fleur de l'âge. Par contre, comme le suggère le même essai au paragraphe suivant, il importe beaucoup que le vieillard s'en désabuse à temps afin de ne plus se livrer à des activités incompatibles avec une nature en pleine décroissance.

Ainsi, on pourrait peut-être reconnaître le sage selon Saint-Evremond à ce trait: l'aisance avec laquelle il parcourt la gamme des divertissements depuis ceux dont raffole le jeune homme allègre et ambitieux jusqu'à ceux dont se délecte l'homme mûr et expérimenté. Les chapitres qui suivent auront pour but de les analyser.

2

Les Jeux de la cour et les jeux de l'amour

DE SA DEMI-RETRAITE, AU CRÉPUSCULE de sa vie, le sage Saint-
Evremond se tourne encore vers ses semblables. Cette dernière vision des
rapports humains est toujours nourrie d'amitié – valeur suprême de toute
société raffinée, sur laquelle nous reviendrons au chapitre suivant. Deux
autres formes moins nobles d'activités, plus ludiques qu'éthiques, ont
également soutenu cette vie épicurienne. La première, jeu de la cour, n'est
autre que la recherche de l'influence sur le pouvoir. La deuxième a été
parfaitement formulée par Lucrèce: "Eviter l'amour, ce n'est pas se priver
des puissances de Vénus; c'est au contraire en prendre les avantages sans
rançon"[1].

La sérénité épicurienne n'abandonne guère Saint-Evremond. Pour lui
aussi, l'érotisme et le pouvoir ne peuvent être que la source de maints
ennuis. L'honnête homme appelle donc "amour" l'attraction sensuelle et, à
la force politique, il préfère le prestige qui seul peut influencer cette
dernière. Le jeu domine, l'engagement moral est relégué au second plan.

Les jeux de la cour peuvent être illustrés par la relation de Saint-
Evremond et du duc de Candale[2]. Cette dernière remonte à l'armée royale

---

[1] Lucreti, *De Rerum Natura*; Scriptorum Classicorum, Bibliotheca Oxoniensis, ed.
Cyrillus Bailey (Oxonii: Typographeus Clarendonianus, 1962), Liber Quartus, versus
1073-1074. La traduction est la mienne.

[2] Louis-Charles-Gaston de Nogaret de Foix, marquis de la Valette (1627-1658), devint le
duc de Candale en 1639 après la mort de son oncle. Le cardinal Mazarin tenait à s'allier à

de 1650, époque de la guerre civile qui opposait une partie importante de l'aristocratie et de la bourgeoisie française à la cour. Malgré leur fidélité à la monarchie, Candale et Saint-Evremond éprouvaient tous les deux de la sympathie pour le parti des Princes de Condé, et du mépris pour le cardinal Mazarin qui dirigeait la France en maître absolu au nom du jeune roi Louis XIV. Dans son écrit "Conversation avec M. de Candale", notre auteur relate les circonstances qui l'avaient lié à son futur protecteur. Il n'y eut, au début, aucune affinité entre les deux gentilshommes: de la cordialité, tout au plus. Leur relation ne devint considérable que lorsque Candale tomba amoureux d'une maîtresse aussi astucieuse qu'aimable, Mme de Saint-Loup, et se brouilla avec deux amis à la suite de cette aventure sentimentale.

Etant donné sa nature extravertie, Candale tenait à avoir un confident à qui parler de sa nouvelle amante, et de l'injustice de ses anciens amis. Saint-Evremond ne refusa pas de remplir cette fonction. Ce n'est pas qu'il fût fasciné par ce que disait le duc, car ce dernier ne brillait pas par son intelligence. Mais notre honnête homme se plaisait à découvrir chez ce grand aristocrate un "air de noblesse" qui rendait supportable la banalité de ses propos. Au bout d'un certain temps, notre auteur s'aperçut qu'à force d'écouter Candale, il avait acquis un ascendant sur lui. Il apprécia vite l'importance de son nouveau pouvoir. Voyant que l'étoile du duc montait de manière apparemment irrésistible, notre auteur croyait que rien ne rehausserait autant son propre prestige que de lier son destin à celui de cet homme puissant. Il s'appliqua donc à se rendre indispensable auprès de lui. Le plaisir que Saint-Evremond trouvait dans cette relation était double. La confiance totale que lui témoignait le duc de Candale et la dépendance dont ce dernier faisait preuve à son égard ne pouvaient que flatter l'amour-propre du courtisan. Mais plus grandes encore pour Saint-Evremond étaient les satisfactions de l'intelligence. Dominer par l'esprit le duc de Candale sans qu'il s'en aperçoive n'était pas chose facile. Il fallait posséder les qualités de l'honnête homme accompli: finesse, dextérité, et façade affable. Très doué à cet égard, Saint-Evremond s'en servit à fond. Dans "Conversation avec le duc de Candale", il nous révèle comment il s'y est pris. Il a attisé l'ambition de ce militaire plutôt indolent en lui

---

la famille de Candale, car ce dernier était fils du duc d'Epernon et d'une fille légitimée d'Henri IV. Après avoir été maître de camp en 1647, et avoir commandé en Guyenne sous son père en 1649, il reçut en juin de la même année la charge de colonel général de l'infanterie française. Bussy-Rabutin et le cardinal de Retz s'accordent avec Saint-Evremond pour souligner la médiocrité de son esprit, bien qu'ils lui reconnaissent une certaine prestance. Après une jeunesse assez frivole et même scandaleuse, Candale se décida à se consacrer à la gloire. Saint-Evremond crut pouvoir avancer sa propre carrière en encourageant ce penchant chez le duc.

faisant observer que lui seul, parmi tous les aristocrates français, jouissait de l'estime du tout-puissant Mazarin, les autres s'étant discrédités auprès du prélat par leur comportement louche ou leur révolte. Après avoir atteint son but, Saint-Evremond a dû être assez fier de son coup. L'artiste qu'il portait en lui venait de sonder une source d'euphorie importante.

Evidemment, la manipulation de la conscience d'autrui, fût-ce par la douceur, relève d'un certain opportunisme. Saint-Evremond ne s'en défend pas. Il a vite fait de découvrir une vérité fondamentale: qui compte réussir à la cour doit s'accommoder de ses tares. Ceci ne veut pas dire qu'il préconise le cynisme et la prostitution de soi. Au contraire, il adopte une attitude morale qui différencie clairement entre le comportement permis et les activités répréhensibles[3]. Comme il fallait s'y attendre, Saint-Evremond constate qu'il existe toujours un écart infranchissable entre l'idéal d'altruisme que tout homme bien né ne peut s'empêcher d'admirer et la réalité souvent répugnante de la cour. Cependant, il croit à une certaine dignité chez l'homme qu'il ne faut ni bafouer chez autrui ni flétrir chez soi. Il élabore ainsi un compromis entre l'égoïsme effréné d'un côté et la vertu intransigeante de l'autre. C'est ce compromis qui permet au sage de survivre à la cour sans se dégrader.

Ce pragmatisme moral à l'usage de la cour qui lui a brillamment réussi auprès du duc de Candale, il le décrit ainsi: "L'Intérest dans les personnes tout-à-fait corrompuës. – La Vertu trop rigide. – Les Sentiments d'un honneste et habile Courtisan sur cette Vertu rigide et ce sale Intérest"[4]. Rappelons que Saint-Evremond oppose deux visions de la vie: celle d'un cynique et celle d'un hypervertueux intransigeant. Seul l'élégant pragmatisme du sage peut dépasser ce genre d'absolutisme borné.

L'absence de morale chez le cynique paraît presque aussi répugnante à Saint-Evremond qu'à l'homme de vertu rigide qui la dénonce en termes très véhéments. Ce manque d'éthique réduit l'être humain à un élan de cupidité élémentaire. Le "corrompu", appelé ainsi par Saint-Evremond, ne reconnaît d'autre réalité que son égoïsme auquel il obéit comme à un instinct aveugle. Les autres sont aux yeux de ce "corrompu" soit des

---

[3] Saint-Evremond n'a jamais varié sur ce point. Entre 1651 and 1653 il a écrit un texte, "Observations sur la Maxime qui dit qu'il faut mépriser la Fortune et ne se point soucier de la Cour". Il y déclare: "Il n'est pas défendu à l'honneste homme d'avoir son ambition et son interest: mais il ne lui est permis de les suivre que par des voyes toutes légitimes". Voir *Œuvres*, II, p. 153.

[4] Ce texte fut conçu en 1667. Ainsi, environ 15 ans après avoir rédigé ses "Observations", Saint-Evremond exprime ici la même idée que l'honnête homme doit parvenir à un compromis entre les exigences du monde et celles de la morale.

importuns dont il faut se débarrasser, soit des victimes à exploiter. Sous cet éclairage, les concepts d'"honneur", de "reconnaissance" et de "désintéressement" qui parent les rapports humains de noblesse et de beauté sont complètement dépourvus de signification. Si jamais le "corrompu" les invoque, c'est par comble de cynisme, afin de mieux sauvegarder son pouvoir. De temps à autre, il se met à l'abri de la réprobation générale en ayant recours à une ruse particulièrement odieuse. Il fait semblant de rendre hommage à une personne d'un mérite universellement reconnu. Il en résulte un oubli de son ignoble comportement passé, une amélioration immédiate de son image publique, et un redoublement de zèle à son égard de la part de ses ennemis aussi bien que de ses amis qui sont tous les dupes de ce changement inattendu. Dès que sa ruse produit l'effet désiré, et qu'il n'a plus aucune raison de craindre les répercussions de son égoïsme, il redevient progressivement ce qu'il n'avait jamais cessé d'être dans le fond de son cœur. Ainsi, qu'il agisse à découvert ou qu'il dissimule sa véritable pensée, le "corrompu" chosifie le concept de rapport humain.

Naturellement, le "vertueux trop rigide" condamne le "corrompu" sans appel. Bien que le tempérament de Saint-Evremond soit réfractaire à une telle intransigeance, il ne peut pas donner entièrement tort à son deuxième personnage. En homme éminemment civilisé, il attache trop de prix aux relations humaines pour demeurer complètement insensible aux exigences du vertueux. En fait, Saint-Evremond fait prononcer par celui-ci des observations pleines de bon sens qu'il ne désavouerait pas lui-même. Le vertueux affirme que même sur le plan criminel, l'avarice n'a aucune envergure: "La grandeur de l'Ame ne peut compatir avec les ordures de l'avarice", insiste-t-il dans une phrase vigoureusement frappée (Œuvres, III, 10). Et Saint-Evremond y souscrirait sans difficulté. Le vertueux poursuit en déclarant que la peur de l'ingratitude que le "corrompu" allègue pour justifier sa pingrerie camoufle, au fond, une haine de la générosité. Etant donné sa promptitude à subvenir aux besoins de ses propres amis, comme Mme Mazarin, Saint-Evremond ne dirait pas le contraire. Le "vertueux" relève ensuite une contradiction dérisoire dans la pensée du "corrompu" qui touche à l'incohérence. Au nom d'une prétendue liberté de choix, il refuse de faire le bien que lui conseillent les gens désintéressés, alors qu'il est la proie facile de n'importe quel imposteur qui joue la comédie du dévouement. Ici encore, Saint-Evremond, avec sa lucidité proverbiale, approuverait complètement.

Mais c'est surtout au début du discours du "vertueux" qu'on décèle une ressemblance assez remarquable entre les vues sur la générosité que Saint-Evremond attribue à son personnage imaginaire, et celles qu'il exprime lui-même dans son essai "Sur l'amitié" et dans les chapitres de l'ouvrage "Les Divers génies du peuple romain" consacrés à la personnalité de Scipion et d'Auguste[5]. Saint-Evremond fait dire à son "vertueux" qu'il existe une concomitance entre la générosité et le bonheur. Celui qui met en œuvre son pouvoir et sa richesse pour répandre le bonheur parmi ses concitoyens accroît le sien propre: "Un homme élévé aux grandeurs, qui fait trouver aux autres leur fortune dans la sienne, joint un grand mérite à un grand bonheur; et il n'est pas plus heureux par le bien qu'il possede, que par celuy qu'il sçait faire..." (Œuvres, III, 9).

Pourquoi Saint-Evremond prend-il néanmoins ses distances vis-à-vis du "vertueux"? Ce n'est pas tant la critique du comportement du "corrompu" qu'il reproche au "vertueux" – critique avec laquelle il est essentiellement d'accord – que l'intransigeance véhémente que celui-ci met à la formuler. Reproduisons à titre d'exemple la phrase complétant le passage que nous venons de citer: "Mais qui, comme vous, cherche son intérest avec tout le monde, et ne peut souffrir que personne le trouve avec luy, celuy-là se rend indigne de la société commune, et devroit estre banny du commerce de tous les hommes" (Œuvres, III, 9). Par son extrémisme, le "vertueux" rejoint le "corrompu" qu'il vilipende, et ainsi Saint-Evremond, par le truchement du "courtisan honneste et habile", les renvoie dos à dos. En répondant à la diatribe du "vertueux" contre le "corrompu", le "courtisan honneste" leur reproche à tous les deux de prêcher une conception également déshumanisante de la vie. L'avidité insatiable du "corrompu" le réduit à un appétit primaire et scelle son divorce avec ses semblables à qui il ne ressemble plus. L'intransigeance morale du "vertueux" le solidifie en statue du bien et le rend inapte à entretenir les rapports humains qu'il semble souhaiter. Pour peu que ce dernier fasse prévaloir ses critères de comportement rigide, il finirait par vouer à l'exécration tout le genre humain et se rendre exécrable à son tour. Tout en respectant son idéalisme, le "courtisan habile" l'avertit des dangers qu'il contient, et lui conseille la modération: "cherchons des tempéramens pour les autres, et soyons assez sévères pour nous mesmes: ennemis du vice en nos propres consciences, n'ayons pas d'horreur des vicieux, pour ne nous rendre pas les hommes ennemis" (Œuvres, III, 15).

D'après cette citation, on comprend jusqu'à quel point "l'honneste et habile courtisan" (alias Saint-Evremond) tranche sur les deux autres par son bon sens, sa souplesse, et sa volonté de conciliation. A la différence du "corrompu", il ne méprise pas l'élévation morale. Au contraire du

---

[5] Saint-Evremond voit dans ces deux protagonistes de l'histoire romaine des exemples de l'homme d'état éclairé, celui qui gouverne par la douceur et la justice, plutôt que par la cruauté et la dissimulation. Voir "Réflexions sur les divers génies du peuple romain", dans Œuvres, II, 30-318, et 327-351.

"vertueux", il ne part pas en guerre contre les "vicieux". Selon l'optique sous laquelle on l'examine, il est possible de voir en lui soit un Alceste devenu flexible et indulgent sous l'influence d'un Philinte, soit un Philinte tiré de son indifférence souriante et sensibilisé à l'idéalisme moral sous la tutelle de son ami Alceste[6]. Bref, un honnête homme conforme à l'idéal de Saint-Evremond.

Son pragmatisme moral est fondé sur la prise de conscience de l'ambiguïté essentielle de l'homme. Chez le plus grand honnête homme comme chez le scélérat le plus méprisable, la nature humaine est une juxtaposition, dans des proportions diverses et fluides, de qualités et de défauts. Deux corollaires découlent de cette constatation. Premièrement, chaque être devrait s'examiner sans complaisance au lieu de chercher à faire des remontrances à autrui. Deuxièmement, les personnes sur qui on serait tenté de prononcer des jugements irrévocables en raison d'un grave défaut, peuvent, quand on s'y attend le moins, dépasser leurs détracteurs moralement par un acte de dévouement exemplaire. Voilà ce que laisse entendre "l'honneste courtisan" vers la fin du discours qu'il adresse au "vertueux":

> D'ailleurs nous ne sommes pas toûjours les mesmes; c'est faire trop d'honneur à la nature humaine, que de luy donner de l'uniformité; celuy qui vous neglige aujourd'huy avec froideur, cherchera demain par quelque mouvement extraordinaire l'occasion de vous servir. Enfin les hommes sont changeants et divers, meslez de bonnes et de mauvaises parties. Tirons d'eux ce que l'industrie nous en peut faire tirer honnestement, et ne fuions pas des personnes pour leurs deffauts, qui pourroient avec autant de droit nous éviter pour les nostres (*Œuvres*, III, 19).

La tolérance que préconise Saint-Evremond par l'intermédiaire de son "honneste courtisan" se double d'arrière-pensées utilitaires, et il a la franchise de l'avouer. Ainsi les qualités d'un individu sont au service de sa carrière. Le courtisan considère ses divers amis et connaissances comme des sortes de réservoirs psychiques dans lesquels il puise tour à tour de manière à s'approvisionner en énergies différentes qu'il convertit en force de propulsion personnelle. Il sait bien que ce n'est pas la peine d'essayer de tirer de l'argent d'un ami avare. Mais ce même homme qui paraît si indigne par un côté de sa nature pourra mettre en œuvre son crédit pour l'aider et s'acquitter ainsi de ses responsabilités morales. Inutile aussi de souhaiter qu'un paresseux, pour qui le mouvement physique est un

---

[6] Alceste et Philinte sont deux personnages principaux de la pièce de Molière, *Le Misanthrope*. Le premier part en guerre contre une nature humaine qu'il juge irrémédiablement corrompue, tandis que le deuxième en prend son parti et accepte de jouer son rôle dans la comédie sociale.

supplice, agisse directement en faveur de ses amis en cas de besoin. Par contre, il fera sans difficulté ce qui mettrait l'avare au désespoir: il leur ouvrira tout grand sa bourse. Il y a des personnes "légères et extravagantes" dont la rencontre quotidienne est à éviter; néanmoins leur "témérité" qui est la conséquence de leur tempérament écervelé peut quelquefois rendre de plus grands services que "la prudence" d'un sage (*Œuvres*, III, 19).

Si le caractère utilitaire de la tolérance que pratique Saint-Evremond transparaît dans sa mise à contribution des vertus d'autrui, il éclate dans son exploitation heureuse de leurs vices. Voilà un tour de force qu'on peut qualifier d'alchimie morale, car il ne s'agit de rien moins que de convertir le mal en bien et de profiter de cette opération personnellement. A l'instar de Molière, contemporain qu'il admirait beaucoup, Saint-Evremond croit que certains êtres sont affligés de vices ou de manies inguérissables[7]. Vouloir les corriger par des discours édifiants, c'est se heurter à des obstinations pures. Mais à défaut de pouvoir transformer leur nature, on peut quand même leur faire changer temporairement de conduite. La tactique en est à la fois simple et ingénieuse. On attise l'égoïsme des "corrompus" en leur proposant des objectifs séduisants qu'ils n'atteindront qu'à la condition expresse d'adopter une conduite altruiste vis-à-vis de leurs semblables. Ou bien on galvanise leur instinct de conservation en leur faisant craindre des représailles insidieuses de la part de ceux qu'ils s'ingénient à duper. Ainsi, on contraindra indirectement les ingrats à s'amender en persuadant les grands de récompenser seulement les personnes reconnaissantes. On forcera habilement l'avare à aller à l'encontre de sa nature en lui évoquant des perspectives de fortunes et d'honneurs considérables qu'il ne pourra décrocher que par des dépenses également considérables. Pour amener l'artificieux intéressé à être moins ignoble, on lui fera comprendre que sa perfidie servira d'exemple à tous ceux qui en ont souffert, et qui, par conséquent, n'éprouveront aucun remords de le trahir à leur tour.

Par toutes ses inventions ingénieuses, le courtisan libérera l'immense potentiel de dynamisme contenu dans l'égoïsme et le canalisera vers l'accomplissement d'actes qui amélioreront ses conditions de vie ainsi que celles de ses semblables. La source de ces actes sera incontestablement impure; mais qu'importe, puisqu'ils acquièrent par les circonstances particulières dans lesquelles ils se déroulent une nature altruiste, et qu'ils

---

[7] Il existe dans le théâtre de Molière toute une race de personnages "lunaires" en proie à des idéex fixes: Arnolphe dans *L'Ecole des femmes*, Orgon dans *Tartuffe*, M. Jourdain dans *Le Bourgeois gentilhomme*, et Argan dans *Le Malade imaginaire*, parmi d'autres. Chacun demeure aussi enfermé dans son erreur au dénouement de la pièce qu'au début.

ont pour résultat, malgré leurs mobiles toujours intéressés, de répandre le bonheur. Et voilà l'essentiel pour Saint-Evremond: l'efficacité du résultat. Certes, il est préférable que les actes de générosité aient une origine pure. Sans doute, il est souhaitable que les hommes s'enthousiasment pour la vertu sous sa forme la plus haute et la plus exigeante. Mais il faut élaborer des modalités d'action qui correspondent aux circonstances précises où l'on évolue. A cet égard, le pragmatisme d'un homme comme le "courtisan" de Saint-Evremond pourrait être infiniment plus salutaire pour une société en certaines occasions que la grandeur morale irréductible du célèbre Romain, Caton[8]. Par un paradoxe désolant, c'est cette grandeur même, selon Saint-Evremond, qui précipita la ruine de la république. Si Caton avait accepté de transiger sur ses principes au lieu de se raidir dans une attitude de noble intransigeance, la république aurait pu être sauvée, du moins en partie. A vouloir trop jouer à quitte ou double il finit par tout perdre. Et Saint-Evremond tire les conclusions qu'il convient de l'expérience du malheureux Caton dans les paroles que son courtisan adresse au "vertueux". "On doit", dit-il, "se contenter quelquefois du bien, qui n'est pas entier, et tantost se satisfaire du moindre mal; n'exiger pas une probité scrupuleuse, et ne pas crier que tout est perdu dans une mediocre corruption" (*Œuvres*, III, 15).

La stratégie de séduction sans bassesse qu'il expose en termes généraux dans la confrontation entre "le corrompu", "le vertueux", et "l'honneste et habile courtisan", Saint-Evremond en présente la mise en œuvre concrète dans sa "Conversation avec M. de Candale". Le même mélange de flexibilité, de perspicacité, et de dignité qui caractérise le comportement du courtisan se décèle dans l'attitude de Saint-Evremond envers le duc de Candale, et dans les divers conseils qu'il prodigue à celui-ci pour le guider à travers les complications labyrinthines de la cour.

Dans son rapport avec le duc de Candale, le but de Saint-Evremond est d'accaparer la faveur de celui-ci, et il ne se fait pas scrupule de l'avouer. Cependant, toutes les façons de séduire une autre conscience ne sont pas également permises. Ce qui compte pour notre moraliste, c'est de se rendre indispensable au duc sans s'avilir. Bien entendu, il faut s'insinuer

---

[8] Caton d'Utique (95-46 avant J.-C.), homme d'état romain, arrière-petit fils de Caton l'Ancien. Républicain ardent, il s'opposa à César, et se suicida après sa défaite à Thapsus. Il vécut et mourut en stoïcien.

imperceptiblement dans la confiance du duc en épousant ses sympathies et ses aversions. A cet effet, Saint-Evremond loue sa maîtresse, Mme de Saint-Loup, et blâme les actions désobligeantes de ses anciens amis, Moret et le chevalier de La Vieuville. Mais notre honnête homme ne s'accorde ouvertement avec le duc sur ces sujets que parce qu'il partage sincèrement son opinion. Autrement dit, Saint-Evremond n'est accommodant que dans la mesure où il n'est pas obligé de jouer une comédie hypocrite. En honnête homme raffiné qui sait éviter les deux écueils de l'intransigeance et de la flagornerie, notre auteur définit et défend sa conduite vis-à-vis de la haute personnalité à laquelle il s'est attaché: "Il y a des insinuations honnestes, dont le moins artificieux se peut servir; il y a des complaisances aussi éloignées de l'adulation que de la rudesse" (*Œuvres*, III, 249).

Saint-Evremond se sentait d'autant plus justifié à continuer sur sa lancée que le duc lui en avait donné inconsciemment l'impulsion en lui confiant "de petites choses fort chères aux Amants, et très indifférentes à ceux qui sont obligés de les écouter" (*Œuvres*, III, 248). A force d'être le confident du duc, notre honnête homme était devenu "maître de son esprit" sans en avoir eu au préalable le dessein conscient. Et il sentait d'autant moins de répugnance à essayer d'assurer sa domination sur le duc qu'il connaissait à fond le tempérament capricieux, volage, de celui-ci, son incapacité de demeurer fidèle à ses vieux engagements à moins d'y trouver des charmes sans cesse renouvelés. En un mot, Saint-Evremond avait compris la tendance chez Candale à vivre avec ses amis "comme la pluspart des maitresses avec leurs amants" (*Œuvres*, III, 267).

Comment donc rendre permanente la capture d'un autre esprit, surtout quand il est aussi susceptible de changement que celui du duc de Candale? En se servant de ma stratégie ingénieuse, aurait pu répondre avec fierté Saint-Evremond. Il faut d'abord transmettre à la personne qu'on désire maîtriser à son insu l'illusion, très rassurante, que la relation qu'on entretient avec elle n'est pas fondée sur une concurrence feutrée d'amours-propres. Or, cette manœuvre est très différente de celle employée en général par les honnêtes gens. Comme le constate notre auteur, les plus grands honnêtes hommes ne sont pas nécessairement dépourvus de narcissisme. Le fait de posséder une valeur bien au-dessus du commun ne les amène pas toujours à vouloir rendre hommage à celle des autres. Par orgueil, ils ont plutôt tendance à exiger qu'on reconnaisse la leur. Pour rendre la vie sociale supportable, les honnêtes gens acceptent d'élaborer un compromis grâce auquel l'amour-propre de chacun reçoit au moins une partie de son dû. Mais précisément, dans un compromis, personne ne trouve jamais tout à fait son compte. "...le plaisir d'être flaté se paye cherement quelquefois, par la peine qu'on se fait à flater un autre", fait remarquer Saint-Evremond (*Œuvres*, III, 250). La subordination temporaire du moi à celui d'autrui est la condition *sine qua non* par laquelle les honnêtes gens doivent normalement passer s'ils veulent que leur moi soit reconnu comme il le mérite. L'extrême habileté de notre moraliste consiste alors à louer son interlocuteur sans réserve, et à le dispenser de la nécessité de le louer à son tour. Le résultat favorable ne se fait pas attendre. En dégrevant son interlocuteur d'une obligation pénible, Saint-Evremond l'amène inconsciemment à en assumer deux autres de plein gré. Il les analyse en fin psychologue: "...qui veut bien se rendre approbateur, et ne se soucie pas d'étre approuvé, celui-là oblige à mon avis doublement; il oblige de la louange qu'il donne, et de l'approbation dont il dispense" (*Œuvres*, III, 250). Il va de soi que tout en ayant l'air d'abdiquer les droits et les plaisirs de son amour-propre, Saint-Evremond ne fait que les accroître. S'il semble reculer, c'est pour mieux sauter. Le combat des amours-propres se poursuit sur un autre plan où le duc de Candale ne peut que perdre, car en permettant à celui-ci de déployer le sien sans obstacles, notre séducteur social se rend indispensable. Le duc de Candale aura de plus en plus besoin d'un homme qui le laisse jouir à ce point de sa propre personne.

Ayant capturé la confiance du duc, notre honnête homme procède à la deuxième étape de sa stratégie. Il se sert de l'amour-propre de son protecteur comme moteur de domination. A l'instar de Pascal, Saint-Evremond sait que chacun s'aime naturellement et n'aspire qu'à s'aimer davantage[9]. Si nous réussissons à faire découvrir constamment à notre interlocuteur de nouvelles raisons d'être content de lui, il pourra très difficilement se passer de nous. Voilà comment Saint-Evremond se comporte vis-à-vis du duc.

Avec une acuité remarquable, il discerne les quelques qualités intellectuelles de l'homme qu'il cherche à dominer, et l'approvisionne en sujets susceptibles de le faire briller. Au lieu d'enrichir l'esprit du duc à proprement parler, Saint-Evremond lui facilite plutôt l'accès à ses propres richesses, lui sert de catalyseur pour précipiter l'élaboration de synthèses dont les éléments se trouvaient déjà chez son interlocuteur. Plutôt que de transmettre des idées à Candale, action qui n'est pas faite pour flatter sa vanité, Saint-Evremond lui fait don d'un bien qu'il possédait toujours mais dont il ignorait l'existence. Evidemment, l'amour-propre du duc ne résiste pas à ces assauts astucieux. Comment se priver de la présence d'un confident qui, loin de vous flatter, trouve tous les jours le moyen de

---

[9] Voir les passages sur "l'amour-propre" et le "moi" dans Blaise Pascal, *Pensées*, éd. Ch.-M. des Granges (Paris: Editions Garnier Frères, 1964), pp. 100-104, et 190-191.

confirmer la haute opinion que vous avez de vous-même? Notre auteur raconte de façon fort plaisante sa manœuvre savamment concertée:

> La douceur de son Esprit faisoit une certaine délicatesse, et de cette petite délicatesse il se formoit assez de discernement pour les choses qui n'avoient pas besoin d'être approfondies. Outre le naturel, il y tournoit son Esprit par étude, et par étude je lui fournissois des sujets où il pouvoit employer cette espece de lumiere. Ainsi nous nous séparions sans aucun de ces dégoûts qui commencent à la fin des Conversations; et content de moi, pour l'être de lui, il augmentoit son Amitié à mesure qu'il se plaisoit davantage (*Œuvres*, III, 249).

A peine s'est-il emparé de l'esprit du duc que Saint-Evremond s'empresse de lui prodiguer des conseils qui lui permettent de s'emparer de l'esprit des autres. Puisque notre honnête homme a misé sa propre ascension politique sur celle de Candale, il avait intérêt à veiller à ce que celui-ci accapare autant de volontés que possible. Quant aux conseils eux-mêmes, ils soulèvent une question difficile à résoudre. Saint-Evremond, puise-t-il surtout dans sa propre expérience des relations humaines pour élaborer les conseils qu'il donne au duc, ou lui propose-t-il des plans d'action qu'il n'aurait jamais pu réaliser par lui-même? Nous pencherions plutôt vers la deuxième hypothèse. Il est incontestable que Saint-Evremond a pu conseiller son protecteur sur le fonctionnement du mécanisme émotif de l'homme grâce à sa propre connaissance approfondie de la nature humaine. Mais en raison de son rang social nettement inférieur à celui du duc, notre auteur n'aurait jamais été capable de mettre en pratique dans sa propre vie les mêmes manœuvres qu'il propose. S'il s'attache à Candale, c'est qu'il a l'espoir que le duc, de par la puissance et le prestige de son rang, pourra l'entraîner dans son sillage vers les hauteurs auxquelles lui, Saint-Evremond, ne pourrait jamais aspirer par ses propres forces. Ainsi, tout imprégnés qu'ils soient de sa propre expérience qui n'est pas négligeable, les conseils de notre honnête homme nous semblent trahir le désir de vivre une grande aventure de cour sinon par procuration, du moins par l'intermédiaire d'un individu assez favorisé par le sort pour le mener à bien. D'après la précision des détails qu'il donne sur les manœuvres proposées et la finesse des remarques qu'il fait, on sent que Saint-Evremond s'enthousiasme pour le destin de son protecteur comme s'il s'agissait de son propre avenir.

Rien de plus evremonien, en effet, que la tactique conseillée au duc pour se frayer un chemin vers une position de grand pouvoir. Il s'agit de la conquête insinuante, voire, insidieuse, de la volonté d'autrui par la voie de l'inclination. On peut dire sans exagération qu'elle constitue une expérience euphorique pour la personne qui l'éprouve. Elle est d'autant plus puissante et irrésistible qu'elle plonge ses racines dans la partie irrationnelle, voire instinctive de l'être. Elle possède une force immédiate qui transcende tous les raisonnements et permet à celui qui l'exploite avec habileté de faire effraction dans le cœur de son interlocuteur sans que ce dernier en prenne ombrage. Pourquoi s'offenser de ce qui fait plaisir? Comme l'affirme Saint-Evremond:

> L'Inclination est un mouvement agréable, qui nous est d'autant plus cher, qu'il nous semble purement nôtre. Il naît dans le fond de nos tendresses, et s'y entretient mollement avec plaisir; en quoi il diffère de l'Estime, laquelle est reçûe comme une chose étrangere, une chose qui ne s'établit et ne se maintient point en nous par la faveur de nos Sentiments, mais par la justice que nous sommes obligés de rendre aux Personnes vertueuses (*Œuvres*, III, 255-256).

Le comportement que Saint-Evremond suggère à son protecteur est fondé sur une certaine conception de la domination d'autrui. Comme notre honnête homme le fait observer au duc, Mazarin est un ministre des plus rusés et des plus expérimentés devant qui le jeune Candale sera d'autant plus désemparé qu'il éprouve une violente antipathie à son égard. Or, puisque le cardinal sent une inclination très forte envers le duc, Saint-Evremond conseille à son protecteur d'exploiter à fond cet atout en multipliant les expressions de dévouement et les actes de sollicitude, et d'éviter à tout prix les rencontres intimes où ses vrais sentiments seraient inévitablement démasqués. Qu'il continue à renforcer la sympathie que Mazarin ressent à son égard. Le cardinal n'aura d'yeux que pour ses attraits. Saint-Evremond résume sa pensée dans une formule d'une concision vigoureuse: "...tâchez d'entretenir une Amitié qu'il est assez disposé à entretenir de lui-même" (*Œuvres*, III, 255).

Saint-Evremond recommande au duc de suivre une démarche semblable vis-à-vis des autres courtisans. Il faut les attirer habilement dans son orbite sans qu'ils s'en aperçoivent; et la force d'attraction irrésistible, ce sera encore une fois l'inclination. Selon notre moraliste, les hommes opposent une résistance vigoureuse à quiconque essaie de les dominer en se réclamant de droits qu'ils croient usurpés. Par contre, en suscitant chez eux le sentiment de l'inclination, on peut les amener à céder de plein gré ce qu'on ne saurait jamais leur arracher de force. Voilà pourquoi notre honnête homme exhorte son protecteur à procéder à la mise en jeu insidieuse de l'inclination chez ses interlocuteurs. A cet effet, le duc leur prodiguera des marques de politesse et de bienveillance afin de les tromper sur les véritables motifs qui le poussent à agir. Une fois que le sentiment de l'inclination est pleinement éveillé chez eux, ses interlocuteurs trouveront tout à fait normal de lui offrir de nouvelles distinctions en témoignage de reconnaissance. Bien plus, la vive sympathie qu'ils ne manqueront pas de sentir à l'égard du duc transformera dans leurs esprits l'abdication de certains de leurs droits en preuves d'amitié. Ainsi Candale aura réussi à réaliser le précepte fondamental de l'honnête homme: employer "toute son industrie à se faire donner ce qu'il ne demande pas" (*Œuvres*, III, 257). Du reste, d'après Saint-Evremond, ce précepte est d'autant plus applicable aux Français qu'ils conçoivent la liberté comme le droit de choisir leur dépendance:

> ...impatient de vôtre autorité et de sa franchise, il ne sauroit recevoir de Maître sans chagrin, ni demeurer le sien dans dégoût: ennuyé de sa propre possession, il cherche à se donner, et trop content de la disposition de sa volonté, il s'assujettit avec plaisir, si on lui laisse faire sa dépendance. C'est à peu près nôtre naturel, que vous devez consulter plûtot que le vôtre dans la conduite que vous avez à tenir (*Œuvres*, III, 258).

Le duc de Candale n'est pourtant pas le seul grand personnage à la cour qui aspire à la conquête d'autres esprits. Comme le lui rappelle Saint-Evremond, il s'y trouve bon nombre d'autres courtisans jouissant d'un rang très respectable dont il vaudrait mieux acquérir l'amitié que l'aversion. En outre, ces aristocrates sont très expérimentés dans l'art d'accéder aux honneurs. Aussi leurs appuis et leurs connaissances seront-ils indispensables à un novice tel que le duc. A cet effet, notre honnête homme lui offre un dernier conseil qui fait écho à celui émis par "l'honneste et habile courtisan". Candale doit mériter leur amitié par des témoignages de respect et des services, discerner leurs qualités dominantes, et les exploiter habilement pour avancer sa propre carrière. Au marquis de Créqui il empruntera la fidélité, le courage et l'esprit universel. Au marquis de Ruvigny[10] il prendra une loyauté à toute épreuve. Chez Monsieur de Palluau il recherchera la sagesse, et un modèle de vie pour les courtisans consistant à "plaire avec une délicatesse éloignée de toute sorte d'adulation" (*Œuvres*, III, 264). Enfin, il aura recours au dévouement intelligent de M. de Miossens[11] pour le diriger à travers les affaires compliquées de la cour, tout en prenant garde de ne pas

[10] Henri de Massué, marquis de Ruvigny (1605-1689). La probité, la sagesse, et la discrétion de cet aristocrate furent telles qu'elles firent oublier ses erreurs de jeunesse. Il refusa d'abjurer sa foi protestante pour devenir maréchal de France. Ambassadeur à Londres en 1664-1665, il fut sensible à la détresse de Saint-Evremond et intervint en sa faveur auprès du roi. Il quitta la France après la révocation de l'édit de Nantes et mourut à Greenwich, en Angleterre.

[11] César-Phoebus d'Albret, comte de Miossens (1614-1676) devint maréchal de France en 1652 après avoir servi dans l'armée depuis 1635. Mais il lui fallut faire peur au cardinal Mazarin avant d'obtenir la permission de porter ce titre. Saint-Evremond le comptait parmi ses meilleurs amis avant l'exil, mais le maréchal d'Albret, obsédé par la fortune et la gloire, négligea l'exilé.

provoquer une de ses redoutables colères vengeresses en blessant, par inadvertance, son humeur très ombrageuse.

Saint-Evremond croyait fermement que son ascendant sur le duc suffirait à lui garantir un avenir souriant. Ce ne fut pas le cas car la vantardise ruina la carrière de notre moraliste.

En effet, lors du traité de paix de juillet 1653, traité qui mit fin aux désordres civils de Bordeaux, le duc de Candale fit preuve d'indulgence pour le parti des Princes. Cette générosité n'était pas faite pour plaire au cardinal Mazarin qui sut que Saint-Evremond avait été le conseiller d'une telle clémence.

C'est aussi notre auteur qui avait détourné le duc d'un mariage avec une des nièces du puissant cardinal. Sachant que Candale souhaitait le commandement de l'armée royale en Guyenne, Mazarin avait espéré s'en servir pour lui inspirer des sentiments de bienveillance envers la jeune Anne Marie Martinozzi. Mais Saint-Evremond persuada au duc qu'il était possible d'obtenir cet honneur sans s'allier avec la famille du cardinal, que celui-ci l'accorderait sans conditions préalables, tant il cherchait à susciter chez Candale un sentiment de reconnaissance. Notre courtisan eut raison. Le duc obtint le commandement convoité sans avoir eu à passer par le mariage avec la nièce. De plus, il fit accorder à son protégé, par le cardinal même, le rang de maréchal de camp.

En lui traçant une telle ligne de conduite, Saint-Evremond avait conseillé à son protecteur de ne point déplaire à Mme de Saint-Loup, sa maîtresse, et avait par là-même fait de cette dernière une alliée. Notre courtisan avait donc gagné la première manche. Cependant le cardinal n'ignorait pas cette manœuvre. Il savait refouler ses rancunes quand il le fallait, aussi longtemps qu'il le fallait pour réussir son jeu. Mais il les avait tenaces. Tôt ou tard, n'importe quel courtisan qui avait eu le malheur de provoquer son courroux serait condamné à le subir.

Aux deux raisons précédentes ajoutons le fait que Saint-Evremond ne se privait pas de railler Mazarin. Ce dernier, après une longue et subtile dissimulation, saisit en 1653 le moment opportun pour faire enfermer Saint-Evremond à la Bastille. Notre moraliste y fit un séjour de trois mois et sans doute se rendit-il compte que la vengeance, surtout celle des grands, est un plat qui se mange froid.

Saint-Evremond avait perdu au jeu de la cour par excès de confiance. Il ne répétera pas la même erreur en amour. On dirait que malgré tous les prestiges dont il miroite, l'amour tient la prudence de notre artiste en éveil, car maintenant il ne s'agit plus d'un jeu essentiellement cérébral, mais d'une activité fondée sur un des élans primordiaux de l'homme. D'où l'attitude ambiguë de Saint-Evremond envers ce sentiment. Une attitude faite de fascination et de méfiance.

Dans maints passages notre épicurien glorifie l'amour comme étant indispensable à l'épanouissement de l'homme. L'amour est capable de dynamiser l'être, ou de renouveler ses forces défaillantes, puisque sa présence transforme la vie de celui qu'il possède en élan frémissant. Il enchante les sens et la sensibilité de l'amant en lui faisant parcourir la gamme des sensations, depuis la langueur jusqu'à la surexcitation. L'amour est donc un des grands divertissements. Mais son rôle ne se réduit pas simplement à anesthésier l'angoisse de la mort. En raison de la force immédiate et élémentaire avec laquelle il s'empare de l'être, l'amour témoigne éloquemment du triomphe de la vie sur la mort. Dès lors que l'amant est tout entier volonté ardente de vivre, le temps pendant lequel il aime devient la seule réalité concevable. Pendant ce temps-là, la mort est plus qu'exorcisée. Elle cesse d'être réelle.

C'est dans sa vieillesse que Saint-Evremond rend à la puissance vivifiante de l'amour ses hommages le plus émouvants. La prise de conscience du refroidissement des sens et du ralentissement des rythmes vitaux engendre chez lui une nostalgie teintée de tristesse pour cette passion, lui fait chérir plus que jamais son influence bienfaisante. Dans une "Lettre à Monsieur XXX qui ne pouvoit souffrir l'amour de Monsieur le Comte de Saint-Albans à son âge", Saint-Evremond déclare que les vieillards ont autant le droit d'aimer que quiconque, parce que l'amour leur insuffle un nouveau dynamisme et leur donne l'illusion bienheureuse d'arrêter la marche inexorable du temps:

> Le plus grand plaisir qui reste aux vieilles gens, c'est de vivre; et rien ne les asseure si bien de leur vie que leur amour. Je pense, donc je suis, sur quoy roule la Philosophie de Monsieur Descartes, est une conclusion pour eux bien froide et languissante. J'aime, donc je suis, est une conséquence toute vive, toute animée, par où l'on se rappelle les desirs de la jeunesse, jusqu'à s'imaginer quelquefois d'estre jeune encore (*Lettres*, II, 296-297).

Certes, on peut accuser les vieillards amoureux de s'aveugler sur leur propre condition, de poursuivre des chimères, et par conséquent, de se comporter de façon déraisonnable. Mais puisque leur amour a le pouvoir de ranimer leur vouloir vivre et d'endormir leur angoisse, ils ont raison de ne plus suivre ce que les autres appellent "la raison". Comme le souligne Saint-Evremond, "l'amour nous rend les plus sages du monde à nostre égard, quand il nous fait tenir insensez dans la commune opinion" (*Lettres*, II, 297).

Cependant, malgré cette exaltation sincère, notre moraliste donne l'impression qu'il faut procéder avec l'extrême prudence et l'adresse d'un alchimiste en train de manier une matière combustible. Bien que Saint-Evremond n'affirme pas notre interprétation explicitement, diverses observations sur le sujet nous inclinent à penser que pour lui le besoin de tendresse se confond plus ou moins avec la libido non sublimée. Transposé sur d'autres registres, l'élan fondamental vers l'amour s'élabore entre les mains de notre épicurien en sentiments extrêmement raffinés comme l'amitié et son prolongement chrétien, la charité. Mais sous sa forme originelle, il apparaît simplement comme une pulsion élémentaire de l'être, et, de ce fait, comme une composante intégrale du tuf de la conscience:

> Il est certain que la nature a mis en nos cœurs quelque chose d'aimant (si on le peut dire), quelque principe secret d'affection, quelque fond caché de tendresse, qui s'explique et se rend communicable avec le temps (*Œuvres*, III, 291).

Saint-Evremond ne déclare pas formellement que l'amour naît de l'attirance physique. Néanmoins, dans l'essai "Sur la complaisance que les femmes ont en leur beauté", il nous permet de tirer cette conclusion en soulignant le dévouement total de la femme à une cause très personnelle: la préservation de sa beauté. Selon Saint-Evremond, une femme séduisante n'hésiterait pas à abandonner un amant, en dépit de la tendresse qu'elle pourrait éprouver à son égard, si elle était contrainte de choisir entre la perte de cette tendresse particulière et la destruction de sa beauté. Et notre honnête homme approuve son comportement: "...avec raison elle se résoudra plutôt à souffrir la perte de ce qu'elle aime que la ruine de ce qui la fait aimer" (*Œuvres*, IV, 29). Une telle subordination des sentiments tendres et de la loyauté à la préoccupation égoïste de la beauté ne fait qu'accentuer son importance pour Saint-Evremond en tant qu'aiguillon de la passion.

Réveillée par la présence physique enchanteresse de la femme, la libido de l'épicurien lui sature la conscience d'une langueur délicieuse. Notre auteur décrit cet état dans un style à résonances précieuses: "Languir est le plus beau des mouvements de l'amour; c'est l'effet délicat d'une flamme pure, qui nous consume doucement; c'est une maladie chere et tendre, qui nous fait hair la pensée de nôtre guerison" (*Œuvres*, III, 330). La délectation avec laquelle Saint-Evremond évoque le pouvoir de l'amour nous incline à croire que pour lui ce sentiment justifie sa présence chez l'homme du fait qu'il enchante la conscience en y retentissant, et qu'il transforme le vouloir vivre en une obsession délicieuse indéfiniment prolongée.

La prédominance de l'amour résulte de sa capacité de restructurer complètement le réseau des émotions de l'homme. Avant le réveil de la passion, le réseau des émotions apparaît comme un complexe de tendances extrêmement diverses qui sont reliées les unes aux autres, mais qui demeurent autonomes dans leur fonctionnement. Dès que l'amour surgit, il devient le noyau autour duquel toutes les émotions jadis autonomes sont désormais obligées de s'ordonner. Le fait qu'elles soient forcées d'abdiquer leur indépendance en tant que pulsions distinctes, et de prendre appui sur l'amour ne veut pas dire qu'elles cessent entièrement d'être. Mais au lieu de fonctionner de façon autonome, elles existent simplement comme des formes différentes sous lesquelles se manifeste la toute puissante passion. Elles irradient à partir de l'amour ou se fondent en lui en vertu de son attraction souveraine. Saint-Evremond décrit ce monopole absolu que l'amour détient sur toutes les autres émotions dans "Que la dévotion est le dernier de nos amours":

> Où l'amour a sçeu regner une fois, il n'y a plus d'autre passion qui subsiste d'elle même: c'est par luy qu'on espere et que l'on craint; c'est par luy que se forment nos joyes et nos douleurs. Le soupçon, la jalousie, la haine même deviennent insensiblement de son fonds, et toutes ces passions, de distinctes et particulieres qu'elles étoient, ne sont plus à le bien prendre que ses mouvemens (*Œuvres*, IV, 361).

En fait, la restructuration du réseau des émotions par l'amour est tellement définitive que même lorsque la jouissance physique est reniée, ce sentiment éclate dans l'expérience la plus spirituelle qui soit, celle de la religion. Dès lors que l'amour peut devenir le principe vital de la vie, il paraît tout à fait évident à Saint-Evremond que ceux qui aspirent à la vie éternelle au sein de Dieu cherchent simplement une éternité d'amour. Ainsi il peut faire observer de façon facétieuse à sa chère amie, Ninon, l'ancienne voluptueuse, que si elle renonçait jamais aux plaisirs terrestres pour aspirer à l'amour de Dieu, il trouverait son comportement très naturel (*Lettres*, II, 263).

L'acceptation par Saint-Evremond de la suprématie de l'amour peut se déduire non seulement des passages déjà cités, mais d'une attaque brève et cinglante contre les affectations des précieuses qui se trouve dans "Le Cercle". Leur volonté de platoniser les sentiments l'effare. "Elles ont tiré une Passion toute sensible du Cœur à l'Esprit, et converti des mouvemens en idées", dit-il (*Œuvres*, IV, 407). La transmutation intellectuelle de l'amour viole l'ordre naturel. Cela ne suffirait peut-être pas à effrayer Saint-Evremond si la personne pratiquant ce genre d'exercice s'en trouvait améliorée. Mais dans le contexte épicurien de notre écrivain, cette amélioration n'est point possible. La distillation des sentiments implique un drainage d'énergie vitale, un affaiblissement de l'élan élémentaire de l'être, et ainsi une automutilation imposée sans nécessité. Il applaudit Ninon d'avoir visé juste en appelant les précieuses "les jansénistes de l'amour". La passion, par contre, coïncide avec le vouloir vivre, et lui insuffle un dynamisme ardent qui renforce la vie. Il n'est peut-être jamais venu à l'esprit de Saint-Evremond de penser que pour une précieuse comme Mlle de Scudéry[12], spiritualiser le sentiment, c'était l'intensifier, en savourer l'essence pure. Mais, même si cette idée s'était présentée à lui, il l'aurait rejetée catégoriquement. Certes, il aurait accepté la conviction chère aux précieuses que les sentiments tendres étaient la source même de la vie, mais il aurait tourné en dérision le culte platonique par lequel elles les célébraient. Pour Saint-Evremond, la plénitude de l'amour signifiait une expansion des forces vives de l'être, non pas leur transposition sur le plan intellectuel et leur transformation en essences désincarnées. A la lumière de la conception evremonienne de l'amour, nous pouvons apprécier son évaluation à la fois narquoise et charmante de la situation schizophrénique où se trouve une précieuse quand ses aspirations platoniciennes entrent en conflit avec certaines responsabilités conjugales: "Les Voluptueuses sentent moins leur cœur que leurs appetits; les Précieuses pour conserver la pureté de ce cœur, aiment leurs Amans sans jouissance, et jouissent de leurs Maris solidement avec aversion" (*Œuvres*, IV, 382).

Autant les précieuses le dégoûtent avec leur idéal d'amour hyper-raffiné, autant les femmes aguichantes exercent sur notre épicurien une attirance irrésistible. A peu près jusqu'au bout de sa longue existence, Saint-Evremond fut fasciné par des dames comme la duchesse Mazarin, Ninon de Lenclos et Louise de Kéroualle dans les yeux de qui s'allumaient des feux qui n'avaient absolument rien de céleste. Il les admirait de faire fi royalement des conventions tant sociales que religieuses, approuvait chez elles ce que de bonnes âmes croyantes trouvaient scandaleux, et les encourageait même à poursuivre dans la voie qu'elles s'étaient tracée. Il suffit de citer l'hommage fervent que notre honnête homme adresse à Ninon dans une lettre écrite vers 1686, à une époque où ils sont tous les

---

[12] Madeleine de Scudéry (1607-1701) écrivit les romans-fleuves *Le Grand Cyrus* et *La Clélie* qui mêlent à des intrigues galantes des discussions sur la morale et des analyses psychologiques. Ses romans illustrent la conception précieuse de l'amour, fondée sur le culte de la femme. Sous des déguisements exotiques, Mlle de Scudéry peignait dans ses romans la société mondaine de son temps.

deux extrêmement âgés. Elle lui avait révélé le mot terrible du duc de la Rochefoucauld sur la vieillesse qu'il considérait comme l'enfer des femmes. Tout en sachant que le temps ne s'arrête pour personne, Saint-Evremond proteste avec vigueur:

> Votre vie, ma très chère, a été trop illustre, pour n'être pas continuée de la même maniere jusqu'à la fin. Que l'Enfer de Monsieur de la Rochefoucauld ne vous épouvante pas; c'étoit un Enfer médité, dont il vouloit faire une maxime: prononcez donc le mot d'Amour hardiment, et que celui de vieillesse ne sorte jamais de vôtre bouche…Quelle ingratitude d'avoir honte de nommer l'Amour à qui vous devez vôtre mérite et vos plaisirs (*Lettres*, II, 257).

Est-ce à dire que selon notre auteur les virtuoses aux mœurs libres comme Ninon soient plus douées que les vertueuses pour collaborer avec les épicuriens avertis à la création d'expériences mémorables? Nous serions tentés de le croire. Bien entendu, avec sa discrétion habituelle, Saint-Evremond ne se prononce jamais sur la supériorité des premières. Quoiqu'il ait la prédilection des dames piquantes, il ne déclare jamais que l'accès au domaine de l'amour est interdit à celles qui pratiquent la vertu au sens chrétien du terme. Cependant, deux textes qu'il rédigea en Hollande aux environs de 1667 laissent entendre que la vertu impose aux femmes des contraintes, ou exigent d'elles au minimum une auto-surveillance qui ne sont pas propices au jaillissement de l'élan érotique.

Le premier écrit s'intitule "Lettre écrite de la Haye". Saint-Evremond y reproche aux femmes hollandaises une absence d'imagination en amour imputable à "un certain usage de pruderie quasi généralement estably par tout…" (*Œuvres*, II, 27-28). Ce n'est pas qu'elles soient dépourvues de charme, mais le code moral auquel elles sont assujetties leur interdit la liberté de démarche vis-à-vis des hommes qui est indispensable pour provoquer chez eux les troubles délicieux de la passion. Elles peuvent "faire l'amusement d'un honneste homme", mais ne sont pas assez vives "pour en troubler le repos" (*Œuvres*, II, 27).

Le deuxième texte a pour titre "La Femme qui ne se trouve point". Saint-Evremond y trace le portrait d'Emilie, personnage fictif, chez qui se réunissent en une synthèse idéale les traits physiques, moraux et intellectuels les plus séduisants. Nous souscrivons à l'opinion de René Ternois qu'il est impossible de déterminer avec précision les mobiles qui ont poussé Saint-Evremond à le composer[13]. Le portrait d'Emilie s'inspire-t-il du souvenir de Mme de Saint-Pierre[14], dame d'une douce gravité à laquelle notre honnête homme fut un temps sensible? Rappelle-t-

---

[13] Voir la notice qui précède le texte dans *Œuvres*, II, 38-44.

il les vertus trop froides des Hollandaises? Ou est-ce tout simplement un divertissement littéraire où notre auteur se plaît à mettre en relief des qualités qui s'apparentent les unes aux autres? Ce qui transparaît dans le texte, par contre, c'est l'idée que le contrôle serein mais rigoureux qu'Emilie exerce sur elle lui interdit de s'abandonner comme Ninon ou Mme Mazarin à la grande passion. Cette vertueuse idéale est capable d'éveiller des sentiments ardents chez ceux qui l'approchent. Elle serait sensible à de telles émotions elle-même. "Mais imperieuse sur elle comme sur vous, elle maistrise en son cœur par la raison, ce que le respect sçait contraindre dans le vostre" (*Œuvres*, II, 50). Puisqu'Emilie ne s'octroie pas la liberté d'aguicher ses admirateurs, comment saurait-elle faire miroiter devant eux la promesse de transports sensuels? Et comment ces derniers pourraient-ils entreprendre d'enflammer son cœur quand ils l'abordent toujours avec des désirs qu'ils n'oseraient faire paraître?

Saint-Evremond aime son Emilie en principe, mais en principe seulement. A la dignité de la belle vertueuse il préfère de loin la virtuosité de ses amies libertines. Il les loue de combler l'épicurien physiquement après avoir mis le feu à son imagination. Cependant, s'il accueille avec joie la présence de l'amour, il refuse de façon catégorique l'agitation émotive à laquelle ce sentiment risque d'aboutir. Dans le contexte de la pensée de Saint-Evremond, ce n'est pas le sentiment de l'amour lui-même qui est coupable. Mais quand l'amour prend possession du cœur humain, agent défectueux et désordonné, le malheur se déclare: "L'amour n'est autre chose qu'une passion, dont le cœur fait d'ordinaire un méchant usage" (*Œuvres*, III, 289). Il paraît que pour Saint-Evremond le cœur désigne le réseau de pulsions, de tendances, et d'inclinations émotives déjà mentionné dont l'activité se manifeste comme un jeu de forces dynamiques et irrationnelles. Etant la force dominante du réseau, le besoin d'aimer le met en mouvement, et accélère ainsi le rythme de son activité aveugle. Dans le cas où le cœur fonctionnerait sans entraves, il se déchaînerait, ferait de grands ravages dans l'être, surtout si l'amour acquérait l'hégémonie sur tout le réseau et le reconstituait autour de lui-même. Sans l'intervention de la raison, l'honnête homme serait transformé par un tel cataclysme émotif en une créature complètement capricieuse. Dans son essai "L'Amitié sans amitié", Saint-Evremond dénonce le mythe

---

[14] Madeleine de Saint-Pierre (1625-1664) fit la connaissance de Saint-Evremond en 1648, quand elle avait vingt-trois ans et qu'elle était déjà mère de trois enfants. Elle avait la réputation d'être une dame vertueuse, charitable, et pieuse sans austérité. Selon son fils, l'Abbé de Saint-Pierre, Mme de Saint-Pierre inspira à Saint-Evremond des sentiments de douceur et de respect, et fut à l'origine du "Portrait d'Emilie".

poétique du cœur, et, ce faisant, justifie indirectement son manque
d'enthousiasme pour les héros de Racine:

> Il [le cœur] agit sans conseil et sans connaissance: révolté contre la raison
> qui le doit conduire, et mû secrètement par des ressorts cachés qu'il ne
> comprend pas, il donne et retire ses affections sans sujet, il s'engage sans
> dessein, rompt sans mesure, et produit enfin des éclats bizarres, qui
> déshonorent ceux qui les souffrent et ceux qui les font (*Œuvres*, III, 290).

D'après ce passage, il est évident que pour Saint-Evremond, la
tyrannie de la passion est terrifiante à cause du fait qu'elle est susceptible
d'aspirer la raison dans le maelstrom qu'elle déchaîne. D'après notre
épicurien, la raison représente le pôle magnétique indispensable selon
lequel il oriente son existence. Au cas où la raison succomberait à
l'attirance démoniaque de la passion, la conscience tout entière serait
déboussolée, et sombrerait dans le chaos. L'épicurien serait privé de sa
lucidité, et par conséquent impuissant à choisir entre les multiples
possibilités d'action celles qui lui seraient les plus salutaires. La perte de
sa liberté suivrait inévitablement celle de sa raison, la liberté d'agir
n'ayant pas de sens à moins que l'individu ne soit à même de faire des
choix judicieux. Ainsi, enlisé dans une interaction de pulsions
subconscientes, l'épicurien deviendrait prisonnier de la partie irrationnelle
de son être. Prisonnier d'autant plus pitoyable qu'il ne pourrait même pas,
dans son état de servitude, conserver la dignité que lui conférerait une
prise de conscience passive de sa disgrâce. Pour un artiste du plaisir
comme Saint-Evremond, résolu à être maître de ses moyens, rien ne serait
plus à redouter.

Cette méfiance qu'éprouve Saint-Evremond à l'égard de la passion
érotique quand elle s'érige en tyran a des ressemblances avec celle
exprimée par le poète latin, Lucrèce, que nous avons cité au début du
chapitre. Bien que Saint-Evremond ne le comprenne jamais parmi les
grands écrivains du passé qu'il se plaît à fréquenter, on a l'impression que
cet épicurien de la Rome antique et notre moraliste français appartiennent
à la même famille d'esprits.

En général, la pensée de notre auteur est moins pessimiste que celle de
son vénérable prédécesseur, car il insiste beaucoup plus sur les émotions
ravissantes que l'amour peut faire naître, et sur leur caractère salutaire
pour l'être humain lorsqu'elles ne bouleversent pas son équilibre mental.
Mais on perçoit tant chez Lucrèce que Saint-Evremond une inquiétude
devant les conséquences néfastes que peut engendrer la passion quand elle
échappe au contrôle de ceux qui l'éprouvent. Le poète latin craint que la
passion ne déclenche un dèsir qu'elle ne puisse jamais assouvir. Il redoute
la frénésie de l'élan passionnel qui incite les amants à vouloir prendre
possession l'un de l'autre. Selon lui, une telle prise de possession constitue

un mirage, car on ne peut s'emparer que d'un corps. Dans ce combat de chairs en délire, l'être de l'aimée se dérobe à l'assaut de l'amant. Lucrèce a peur surtout de la dégradation que l'amour est susceptible d'infliger à ses esclaves. A force d'être une idée fixe, il fait d'eux des monomanes incapables désormais de veiller à leur réputation et à leurs devoirs. L'épicurien de Rome en arrive même à se demander si le jeu en vaut la chandelle[15].

A première vue, la condamnation de la véhémence irrationnelle de la passion semble futile, qu'elle soit prononcée par le poète latin ou par notre hédoniste français. Nous venons de voir que chez Saint-Evremond comme chez Lucrèce l'élan passionnel se confond avec la libido non sublimée qui prend possession du réseau émotif du cœur et de là sature toute la conscience de sa présence. Dans ce cas, n'est-il pas inévitable qu'elle submerge la raison? Mais Lucrèce autant que Saint-Evremond nie cette conception fataliste de l'amour et soutient l'opinion contraire. Le Romain pénètre dans l'arrière-boutique des courtisanes pour démystifier leurs rites[16], tandis que le Français découvre dans la raison les ressources nécessaires pour sauvegarder sa sérénité de philosophe. Notre auteur n'attribue jamais explicitement à cette faculté le mérite de protéger son équilibre émotif, mais d'après divers passages qui traitent de l'amour, le lecteur peut découvrir comment la raison, en tant que conseillère de l'être, permet à l'épicurien de jouer avec le feu sans se brûler.

---

[15] Ici j'interprète, tout en la résumant, la pensée de Lucrèce telle qu'elle se présente dans le Quatrième Livre, vers 1075-1140, de son *De Rerum Natura*.

[16] Entre les vers 1171-1184 du Quatrième Livre, Lucrèce conseille au jeune homme éperdument amoureux de découvrir la réalité de sa belle derrière la façade:

> Mais supposons que son visage soit ce qu'il y a de plus désirable, et que le charme de Vénus rayonne dans tout son corps. Quand même, il y en a bien d'autres. Quand même, nous avons vécu sans elle auparavant. Quand même, dans sa nature physique elle n'est nullement différente, comme nous le savons, des plus ordinaires de son sexe. Elle se sent contrainte d'employer des désinfectants puants. Ses bonnes se tiennent bien à l'écart et ricanent derrière son dos. L'amant en larmes, banni de sa présence, entasse des fleurs et des guirlandes sur le seuil, oint de parfum les montants dédaigneux de la porte, et pose un baiser triste sur la porte même. Si on l'y introduisait, bien souvent, une bouffée lui ferait chercher sur-le-champ n'importe quel prétexte honorable pour prendre congé d'elle. Sa tendre plainte, longuement méditée et exagérée, tomberait complètement à plat. Il se traiterait de sacré imbécile pour l'avoir parée de qualités qui sont au-dessus de l'imperfection mortelle.

La traduction est la mienne.

Puisque la tyrannie de la passion est directement proportionnelle au désir de s'y abandonner, l'épicurien s'en préserve en adoptant une attitude de non-engagement envers les affaires du cœur. Il prend ses distances envers l'expérience qu'il est en train de vivre: il développe une sorte de conscience de soi détachée. De cette manière, il peut se délecter comme un dilettante des sensations qu'éveille l'amour sans en être profondément affecté. Une telle conception des relations tendres s'appelle la galanterie. L'espèce de galanterie que recommande Saint-Evremond ressemble par certains côtés à celles de Vincent Voiture[17] et du chevalier de Méré[18], sans pour autant coïncider complètement avec l'une ou l'autre.

On comprend que Saint-Evremond ait placé si haut les productions littéraires de Voiture, car les lettres de notre honnête homme où s'expriment des protestations de tendresse se caractérisent par un esprit de folâtrerie semblable, bien que pas identique, à la frivolité espiègle qui caractérise celles de Voiture. Dans un groupe de lettres dédié à des dames inconnues (peut-être à la même), Saint-Evremond contemple le mécanisme complexe de son cœur avec un détachement amusé et caresse délicatement l'amour-propre de sa prétendue bien-aimée en lui donnant à entendre qu'elle seule est capable de faire fonctionner le mécanisme comme bon lui semble:

> Vous m'aviez toujours paru fort aimable; mais je commence de sentir avec émotion ce que je voyais avec plaisir. Pour vous parler nettement, j'ai bien peur que je ne vous aime, si vous souffrez que j'aie de l'amour; car je suis encore en état de n'en point avoir, si vous le trouvez mauvais (*Lettres*, I, 23).

Découvre-t-il que sa bien-aimée a pris son conseil au sérieux et est tombée amoureuse d'un ami commun, loin de s'en offusquer, il lui propose "une manière de liaison inconnue" où les trois amitiés se réunissent inséparablement, et "ne soient plus qu'une même chose" (*Lettres*, I, 21). Se rend-il compte que l'extrême politesse des lettres de sa

---

[17] Vincent Voiture (1597-1648) fut un remarquable animateur à l'Hôtel de Rambouillet. Surnommé "El Rey chiquito" par les habitués de l'hôtel, il les divertissait par des lettres et des poésies galantes dans lesquelles la sincérité des sentiments est nettement subordonnée, sans être toujours entièrement sacrifiée, à la virtuosité verbale.

[18] Antoine Gombaud, chevalier de Méré (1607-1685) s'efforça de définir, souvent de façon dogmatique, les règles de comportement de l'honnête homme. Dans son journal privé, Méré exprime sa technique de la séduction en termes assez cyniques; "Ce ne sont pas les hommes qui débauchent les femmes. Ce sont elles qui se débauchent. Il faut faire en sorte, par son air et son procédé, qu'elles fassent des desseins". Voir Charles-H. Boudhors, éd., "Divers propos du chevalier de Méré en 1674-75", *Revue d'Histoire Littéraire de la France*, 30 (janvier-mars 1923), p. 52.

belle dissimule une indifférence pareille à son égard, au lieu de se répandre en injures, il lui renouvelle son dévouement à toute épreuve avec une impertinence enjouée:

> Adieu, misérable personne, accablée d'une longue suite de malheursl ine de gratitude et de reconnaissance pour ceux qui prennent quelque part à vos misères. Adieu plus tendrement mille fois que vous ne m'écrivez civilement. Je vous prie de croire que vous n'avez pas assez de civilité pour me rebuter, et que je seray plustôt, toute ma vie, le confident de vos malheurs, que de ne vous estre rien du tout (*Lettres*, I, 22).

Ce qui différencie l'enjouement amoureux de Saint-Evremond de celui de Voiture, c'est la sobriété de l'expression et le ton demi-sérieux. Alors que *El Rey Chiquito* se sert le plus souvent de l'amour comme prétexte à un étalage de virtuosité littéraire, Saint-Evremond donne l'impression qu'il éprouve un sentiment réel qu'il tient à enfermer dans des limites contrôlables grâce à la création d'une distance ironique entre lui-même et l'objet de sa tendresse.

Si la forme de la galanterie evremonienne partage avec celle de Voiture un élément de badinage ironique, elle se rapproche de celle du chevalier de Méré par sa connotation de manœuvres de séduction. Saint-Evremond et Méré ont recours aux sentiments tendres qu'ils peuvent avoir vraiment éprouvés au début d'une liaison afin de persuader à leurs dames de succomber à la tentation. Mais à ce point leurs conceptions divergent, parce que leurs objectifs sont également suspects pour des raisons différentes. Pour Méré, les conquêtes amoureuses rehaussent son prestige à ses propres yeux. Elles constituent la preuve tangible que l'honnête homme est un héros de salon incomparable. Pour Saint-Evremond ce sont des léviers qui permettent d'accroître son influence dans le monde. L'honnête homme n'est pas seulement épicurien, il est souvent courtisan. L'activité de la cour consiste dans des intrigues continues pour décrocher positions de pouvoir et avantages matériels. Ainsi, l'amour devient inséparable de l'intérêt: "En Espagne on ne vit que pour aimer: ce qu'on appelle aimer en France n'est proprement que parler d'amour, et mêler aux sentimens de l'ambition, la vanité des galanteries" (*Œuvres*, III, 45-46). Si l'on nous permet une autre comparaison, ces sentiments de l'ambition mêlés aux caprices amoureux, agissent comme un contrepoison qui neutralise dès le début les effets virulents que pourrait déclencher la passion. Quand l'amour est envisagé tout simplement comme le moyen de réaliser une fin avec laquelle il est incompatible à long terme, il ne peut guère devenir une obsession. Ainsi, le désir d'accroître son influence dans le monde conjugué avec son attitude de détachement ironique mettent l'épicurien à même d'aimer les belles et de les "planter" à son gré.

Cet objectif d'une distance émotive à sauvegarder par rapport à la personne qu'on est censé aimer souligne l'alliance trouble qui existe entre la raison et l'élan érotique sous sa forme non sublimée. D'une part, Saint-Evremond exalte l'énergie vitale que l'amour engendre et l'oubli bienheureux de l'angoisse qu'il lui procure. Il approuve entièrement la tentative de Ninon de transformer son existence en jardin de délices érotiques sans cesse renouvelées. Et pourtant, du fait que l'amour n'est rien d'autre pour lui qu'une série de passades, ou de "flings", comme on dit en anglais, où la raison sert de barrière contre tout engagement émotif profond, Saint-Evremond semble en exclure des relations vraiment significatives entre l'homme et la femme. Il soutient que la raison doit participer dans l'expérience de l'amour, mais il ne lui attribue que la fonction de dissiper l'énergie érotique de la façon la plus agréable et la plus anodine. La raison et le sentiment érotique coexistent chez Saint-Evremond. Néanmoins leur coexistence est précaire, étant donné que la première veille constamment à ce que le deuxième ne mette pas en danger l'équilibre général de l'être.

Sur le plan de l'amour, donc, la collaboration entre la raison et le cœur dont la libido est une partie intégrante se trouve dans une impasse. Saint-Evremond la débloque de deux façons complémentaires. En épicurien convaincu, il la transpose sur le registre de l'amitié. En humaniste imprégné de pensée chrétienne, il l'élève à un niveau universel: la charité.

3

Amitié humaine et amitié divine

A BIEN DES ÉGARDS, SAINT-EVREMOND REPRÉSENTE le type même du libertin agnostique que Pascal aurait souhaité convertir: fin, spirituel, ouvert, conscient de l'extrême diversité des attitudes qu'on peut adopter devant la vie, et doué d'un tact social exquis. Malheureusement, dans sa tentative de conversion, le janséniste se serait heurté à une difficulté insurmontable: le goût marqué de notre épicurien pour les divertissements, et sa conception radicalement différente de leur nature. Comme nous avons pu le constater au cours des deux chapitres précédents, Saint-Evremond ne croit pas que les divertissements détournent l'homme de l'essentiel, à savoir, son salut. Pour notre honnête homme, l'essentiel est ailleurs. Il réside dans les ressources internes de son être que la pratique des divertissements permet d'exploiter au maximum. Or, dans toute la gamme de plaisirs que Saint-Evremond a à sa disposition, c'est l'amitié qui est privilégiée.

A la différence de l'amour, l'amitié signifie une entente parfaite entre la raison et le cœur, que ce soit dans un contexte purement humain ou dans celui, hypothétique, qui permet à l'homme d'entrer en communion avec Dieu. Dans la conception evremonienne de l'amitié, la raison ne règle plus l'épanchement du sentiment avec circonspection. Elle n'observe plus la libido avec méfiance en ennemi potentiel. La raison élimine la menace que pose l'énergie érotique en la relançant dans une nouvelle voie. Au lieu de permettre aux élans non sublimés du cœur de se dissiper en rencontres peu durables, la raison les ramasse pour les transformer en valeur morale permanente. Voilà le critère qui permet de faire la distinction entre les deux. L'amour dépend à peu près exclusivement d'une attirance physique, alors que l'amitié repose sur un choix éclairé. Celui-là ne tient nécessairement pas compte des qualités intrinsèques de la personne convoitée. Celle-ci, par contre, est inconcevable sans estime. Hâtons-nous de préciser que pour notre épicurien, une grande amitié doit être fondée aussi sur un attrait mystérieux qui rapproche deux êtres humains, ce qu'il appelle dans son essai "Sur l'amitié" un "charme secret, que je ne saurois exprimer, et qui est plus facile à sentir qu'à bien connoître" (*Œuvres*, III, 316). Mais dans le même texte il insiste également sur la participation de la raison:

> Ce que je veux dans les Amitiés, c'est que les lumieres précédent les mouvemens, et qu'une estime justement formée dans l'Esprit, aille s'animer dans le Cœur, et y prendre la chaleur nécessaire pour les Amitiés, comme pour l'Amour (*Œuvres*, III, 321).

Ainsi, la nouvelle valeur dure parce que les exigences respectives de la raison et du cœur sont pleinement satisfaites par sa réalisation. La première maintient son autorité comme régulatrice du comportement de l'être, tandis que le deuxième fournit le sang de cette relation humaine, le "principe secret d'affection" qui peut se déployer librement sans provoquer de désordres. Dès lors que l'amitié pour Saint-Evremond représente aussi bien le plaisir le plus exquis qu'un idéal à atteindre, les rapports qu'elle crée entre deux individus sont infiniment plus significatifs que ceux qu'engendre l'amour. L'engagement que prennent les amis l'un envers l'autre leur procure la plus grande satisfaction émotive, et cette dernière revêt la forme d'un engagement. Comme ses contemporains Gassendi, Molière et La Fontaine, comme des moralistes célèbres, Montaigne, Sénèque, Cicéron et Epicure qui l'ont précédé, Saint-Evremond attribue à l'amitié l'hégémonie dans son échelle de valeurs: "Toutes les Personnes raisonnables, tous les Honnêtes-gens imitent en cela les Philosophes, sur le fondement que l'Amitié doit contribuer plus qu'aucune autre chose à notre bonheur" (*Œuvres*, III, 292).

L'amitié pour notre moraliste constitue la forme suprême du divertissement du fait même qu'elle implique une communion de consciences. Aucune autre expérience ne peut égaler sa capacité d'exorciser le pessimisme inséparable d'une réflexion sur la condition de l'homme. Bien que Saint-Evremond ne propose pas l'amitié explicitement comme le meilleur antidote contre l'angoisse d'exister, il justifie notre interprétation dans la plupart des passages qui ont trait à son idéal. Il affirme de diverses manières qu'une union de cœurs et d'esprits offre plus de joie à l'individu qu'une préoccupation de soi. Une remarque qu'on trouve dans "L'Amitié sans Amitié", et qui paraît être une confidence glissée au lecteur à la troisième personne, illustre sa conviction: "En effet, on ne se détacheroit point en quelque façon de soi-même, pour s'unir à un autre, si on ne trouvoit plus de douceur en cette union, que dans les premiers sentiments de l'Amour-propre" (*Œuvres*, III, 292). L'euphorie engendrée par l'amitié fait fondre le mur de solitude à l'intérieur duquel un individu se sent isolé. Tant que le mur l'entoure, il est amené à ressentir sa propre mortalité de façon angoissante. Cependant, si une autre présence compatissante réussit à pénétrer cette solitude et à atteindre l'individu isolé, son malheur fera place à un renouveau de confiance dans la vie.

Que l'amitié représente pour notre honnête homme une sorte de sanctuaire vivant apparaît dans certaines pages très senties de son essai "Sur l'amitié". Il y établit une comparaison entre l'efficacité de la prudence et celle de l'amitié pour accroître le bonheur de vivre, comparaison mise en relief par le balancement symétrique des phrases: "Si la Prudence nous fait éviter quelques maux, l'Amitié les soulage tous; si la Prudence nous fait aquerir des biens, c'est l'Amitié qui en fait goûter la joüissance" (*Œuvres*, III, 310-311). D'après ce passage, l'amitié est infiniment supérieure à la prudence du simple fait qu'elle permet à des êtres humains de se rendre plus heureux en se rapprochant les uns des autres dans un élan de sympathie attentive et généreuse. La prudence est une vertu de portée limitée parce que centrée sur la personne qui l'exerce. Elle est capable seulement de ménager le bien-être d'un individu. Elle ne sauroit l'arracher à la solitude, donc à la pensée angoissante de sa mortalité. L'amitié sert de n'importe quel prétexte, que ce soit la mauvaise fortune ou la bonne, pour créer des liens de solidarité, et, ce faisant, affirmer la valeur de la vie.

Emu par le sentiment qu'il est en train d'exalter, Saint-Evremond en poursuit l'éloge dans des accents fervents. Il pose une série de questions pressantes auxquelles il ne peut exister qu'une seule réponse, afin d'évoquer la douceur de l'union dont jouissent les vrais amis:

> Avez vous besoin de conseils fidéles, qui peut vous les donner qu'un Ami? A qui confier vos secrets, à qui ouvrir vôtre Cœur, à qui découvrir vôtre Ame qu'à un Ami? Et quelle gêne seroit-ce d'être tout resserré en soi-même, de n'avoir que soi pour confident de ses affaires et de ses plaisirs? Les plaisirs ne sont plus plaisirs, dez qu'ils ne sont pas communiqués. Sans la confiance d'un Ami, la félicité du Ciel seroit ennuyeuse (*Œuvres*, III, 311).

Comme dans la citation précédente, on est sensible ici à l'élan vers l'autre que signifie l'amitié pour notre épicurien. Mais ce qu'on décèle ici en plus, c'est sa conviction que non seulement il est naturel de souhaiter sortir de soi pour se réfugier chez autrui, mais qu'il est nécessaire de ressentir ce mouvement vers l'autre si l'on espère goûter la douceur de vivre. Saint-Evremond emploie le mot "gêne" pour décrire l'état d'un individu dont les émotions sont embouteillées par choix ou par contrainte, et au 17e siècle, "gêne" équivalait à "torture"[1]. Aux yeux de notre honnête homme, les plaisirs doivent être partagés pour être vivement ressentis. Les renfermer en soi, c'est les condamner à la stagnation, c'est condamner aussi la personne qui les éprouve à la prise de conscience de sa condition mortelle. Ainsi l'amitié, célébrée comme divertissement suprême, constitue en même temps la meilleure sauvegarde de la santé morale.

L'idéalisme dont témoigne Saint-Evremond au sujet de l'amitié pendant sa maturité est d'autant plus remarquable qu'il avait fait preuve de désabusement et de sécheresse à cet égard avant son exil, aux environs de 1647. René Ternois a signalé avec raison la parenté d'esprit qui existe entre l'essai de Saint-Evremond, "Maximes qu'on ne doit jamais manquer à ses amis", et diverses maximes de son contemporain, La Rochefoucauld[2]. Même absence d'illusions chez les deux. Même volonté de déceler les motifs inavouables derrière les nobles attitudes. En 1647, l'amitié pour Saint-Evremond se réduisait à un simple commerce dont chacun des partenaires comptait tirer le profit maximal. Souvent elle était encore moins. Les grands mots comme "reconnaissance", "dévouement", "droiture", "fidélité", dissimulaient leurs contraires: ingratitude, égoïsme, mauvaise foi, infidélité. Saint-Evremond exprime ses vues dans une série de formules joliment désabusées que La Rochefoucauld n'aurait pas désavouées:

> L'amour-propre gauchit la règle pour nous, et la redresse pour les autres (*Œuvres*, II, 161). Puis-qu'on se dégoûte quelquefois de soy-mesme, il est encore plus aisé de se dégoûter des autres; la fin de l'amitié dépend moins de nostre volonté que le commencement (*Œuvres*, II, 165). Ce que nous apelons un crime du cœur, est bien souvent un défaut de la Nature; Dieu n'a pas voulu que nous fussions assez parfaits pour estre toûjours aimables, pourquoy voulons-nous estre toûjours aimez? (*Œuvres*, II, 167).

Les deux dernières pensées sont particulièrement frappantes. Saint-Evremond semble justifier l'infidélité entre amis en faisant une allusion voilée au péché originel[3]!

Comment donc expliquer le revirement de Saint-Evremond environ vingt ans plus tard? Comment a-t-il pu passer d'une conception si utilitaire

---

[1] Voir sous la rubrique "gêne" dans *le Grand Larousse de la langue française* (Paris: Librairie Larousse, 1973), III, 2181-2183.

[2] Dans la notice qui précède l'écrit "Maxime qui dit qu'on ne doit jamais manquer à ses amis" (*Œuvres*, II, 157), René Ternois dit: "Leurs pensées sur l'amitié sont semblables, les mots parfois sont les mêmes, parce qu'ils avaient lu les mêmes livres, avaient eu les mêmes expériences et acquis la même connaissance de la nature humaine".

à une conception si généreuse de l'amitié? Nous croyons que les épreuves de l'exil à partir de 1661 lui firent chérir rétrospectivement les amitiés qu'il avait perdues, du moins au sens physique. En terre étrangère il se rendait compte jusqu'à quel point la présence de véritables amis aurait adouci ses chagrins et renforcé son désir de vivre.

Voilà pourquoi à partir de 1667 Saint-Evremond ne juge plus nécessaire de régler son comportement envers ses amis sur le principe pragmatique de l'honneur. Vingt ans plus tôt, dans "Maximes qu'on ne doit jamais manquer à ses amis", notre honnête homme en avait donné deux définitions. La première, insérée probablement après la rédaction de l'essai, réduit l'honneur à une forme d'amour-propre déguisé. La deuxième fut formulée quand Saint-Evremond rédigeait l'ensemble du texte, et se rapproche davantage des vues de sa maturité sans pourtant y correspondre tout à fait. Elle fait apparaître cette vertu comme la volonté de demeurer loyal envers les engagements pris. Notre auteur recommande de la mettre en œuvre afin de franchir les temps morts causés par les fluctuations du cœur. Quelquefois, l'honneur peut même obliger les amis à jouer la comédie l'un pour l'autre afin d'empêcher leur relation de s'affaiblir:

> C'est l'honneur qui s'éforce quelquefois de cacher les défauts du cœur, qui joüe le personnage de la tendresse, qui sauve les aparences pour quelques temps, jusqu'à ce que l'inclination se réveille, et qu'elle reprene sa premiere vigueur (*Œuvres*, II, 168).

Un peu plus loin dans l'essai, Saint-Evremond précise la nature de cette vertu. Il s'agit d'un sentiment désintéressé et raisonnable qui permet à l'honnête homme de viser haut et de garder l'amitié en vie tout en s'accommodant des faiblesses de l'être humain:

> Je parle d'une droite raison qui s'acorde avec les imperfections de nôtre nature, qui les redresse du mieux qu'elle peut, qui est ennemie de l'afectation, qui va au bien pour le bien seul, et loin de tous les détours de l'amour propre, qui est toûjours preste à faire plaisir et qui croit n'en avoir jamais assez fait, qui ne s'aplaudit point et qui ne cherche point aussi l'aplaudissement du Monde (*Œuvres*, II, 168).

Après son exil, cette conception pragmatique n'aura plus d'utilité pour notre moraliste. Après tant d'épreuves subies, la beauté de l'amitié se présentera à lui avec une telle évidence qu'il ne sera plus nécessaire d'avoir recours à des artifices pour la conserver. Etant un idéal qu'il

---

[3] Il est presque inutile de souligner le fait qu'en tant qu'agnostique, Saint-Evremond ne croyait guère au péché originel. Mais il était très conscient des imperfections inhérentes à la nature humaine.

embrassera avec ferveur, l'amitié se situera à un niveau élevé où les désordres du cœur ne pourront plus l'atteindre.

Pour que l'amitié demeure une expérience épanouissante, Saint-Evremond préconise la mise en œuvre de trois principes, ceux-là mêmes qu'il avait transgressés dans ses relations avec le duc de Candale. Ils ont tous pour but d'établir un équilibre délicat entre l'engagement envers autrui et la préoccupation légitime de soi. En s'y conformant, notre épicurien peut entretenir l'intensité de la communion de consciences et en même temps l'empêcher de dégénérer en douleur aiguë. Le premier va de soi. C'est la base sur laquelle reposent les deux autres: la sincérité. Une communion de cœurs et d'esprits n'est possible qu'à condition que les deux amis ne pratiquent pas la dissimulation l'un envers l'autre. En fait, sa beauté consiste en la confiance inconditionnelle que chacun peut avoir dans l'autre. Ainsi, quand un des amis manque à l'obligation de sincérité, il mine de façon irréparable les fondements mêmes sur lesquels est bâtie la communion. En outre, un abus de confiance signifie une attitude de mépris envers le partenaire loyal, voire, une répudiation. Humilier ainsi l'ami loyal constitue pour Saint-Evremond un acte ignominieux.

> Dans ces confidences si entieres, on ne doit avoir aucune dissimulation. On traite mieux un Ennemi qu'on hait ouvertement, qu'un Ami à qui on se cache, avec qui on dissimule; peut-être que nôtre Ennemi recevra plus de mal par nôtre haine; mais un Ami recevra plus d'injure par nôtre feinte. Dissimuler, feindre, déguiser, sont des défauts qu'on ne permet pas dans la vie civile; à plus forte raison ne seront-ils pas soufferts dans des Amitiés particulieres (*Œuvres*, III, 313-314).

Le deuxième principe, c'est la générosité spontanée. Puisque le "principe secret d'affection" est la force qui anime l'amitié, son sang même, celle qui existe entre deux individus est aussi élevée ou prosaïque que la chaleur ou la tiédeur des sentiments qu'ils éprouvent l'un pour l'autre. La prudence excessive immobilise les élans du cœur, privant ainsi la relation de sa nourriture vitale. Il y a des moments où la raison dans un sens large consiste à rejeter ce que le monde juge raisonnable: "L'Amitié demande une chaleur qui anime, et ne s'accommode pas des circonspections qui l'arrêtent: elle doit se rendre toûjours maîtresse des biens, et quelquefois de la vie de ceux qu'elle unit" (*Œuvres*, III, 314-315). A cet égard, Saint-Evremond se plaît à évoquer le grave législateur spartiate, Agésilas, qui, mû par des sentiments généreux, passe outre aux lois dites inviolables pour voler au secours d'un ami accusé d'avoir commis un crime. A la lumière de telles réflexions, on est surpris que H. T. Barnwell ait pu juger la morale de notre auteur comme "égoïste et intéressée"[4]. Bien entendu, à la différence de Montaigne, notre moraliste ne propose pas une conception de l'amitié qui implique une symbiose d'esprits, de cœurs et de volontés[5]. Mais cette vertu n'en demeure pas moins pour lui chose infiniment précieuse qui justifie des actes de grand dévouement.

On pourrait considérer le troisième principe comme étant le régulateur du deuxième. Il s'agit de l'utilisation habile d'une vertu des plus austères, la justice. Appliquée dans toute sa rigueur aux rapports entre amis, la justice aurait pour conséquence de geler les élans du cœur encore plus efficacement que la circonspection. Ne rendre à un ami rien de plus que son dû, c'est freiner les épanchements dont une amitié a besoin pour fleurir: "...qui se pique d'être juste, ou se sent déjà méchant Ami, ou se prépare à l'être" (Œuvres, III, 314). Mais mêlée à d'autres qualités comme le "bon naturel", la "douceur" et "l'humanité", la justice devient une "chose admirable" (Œuvres, III, 314). Dans son nouveau contexte, la justice signifie dorénavant l'ensemble d'actes de sollicitude ayant pour but de reconnaître le mérite de l'ami et de lui apporter de nouvelles preuves d'affection. Cette vertu dite rigoureuse a donc une double fonction: elle renforce les inclinations spontanées vers l'affection tout en empêchant leur force de se répandre sans discernement.

D'après l'importance qu'il accorde à ces trois principes, on s'aperçoit qu'une grande amitié pour Saint-Evremond ne saurait survivre sans

---

[4] Barnwell, p. 27. Etant donné le ton fervent sur lequel Saint-Evremond parle de l'amitié, on s'étonne que Barnwell ait pu réduire le bonheur de Saint-Evremond à un simple "non-malheur" (Barnwell, p. 73). Le terme "non-malheur" s'appliquerait peut-être à d'autres formes de divertissement, mais il ne nous semble guère probable qu'il corresponde à la douceur de vivre et la générosité des sentiments créées par la forme suprême, l'amitié.

[5] Dans son essai "De l'amitié", Montaigne décrit ainsi ses relations avec Etienne de La Boëtie:

Ce n'est pas une speciale consideration, ny deux, ny trois, ny quatre, ny mille: c'est je ne sçay quelle quinte essence de tout ce meslange, qui, ayant saisi toute sa volonté, l'amena se plonger et se perdre en la mienne, d'une faim, d'une concurrence pareille.

Voir Michel de Montaigne, Essais, éd. Alexandre Micha (Paris: Garnier-Flammarion, 1969), I, 236.

engagement à long terme. Mais, étant honnête homme et épicurien, donc éminemment raisonnable, il envisage l'idéalisme sans zèle fanatique ni exclusivité. Dans "L'Amitié sans amitié", il exprime son inquiétude et même sa réprobation à l'endroit de certains individus dont le souffle semble être consacré à leurs amis. C'est que ceux-là confondent le fanatisme et le dévouement. C'est qu'ils visent à la possession exclusive de la personne aimée. Quand un soi-disant ami, soulevé par un tel enthousiasme, revendique le droit de monopoliser une autre conscience, son action suffit à faire prendre l'amitié en horreur. Tout comme la raison de l'honnête homme choisit pour lui les ami susceptibles d'apprécier la beauté morale de son idéal, elle doit le protéger contre ceux qui le déshonorent par leurs excès. Ainsi, notre auteur émet deux critères qui permettent de tenir les fanatiques à distance.

Nous ne trahirons pas les intentions de Saint-Evremond en formulant le premier critère comme une maxime: Derrière tout ami hyperzélé se dissimule un tyran. Un ami dévoué jusqu'au fanatisme serait un merveilleux atout dans la vie s'il offrait ses services sans réclamer un lourd paiement. Mais en échange de sa sollicitude, il n'exige rien moins que d'exercer un ascendant incontesté sur son camarade d'élection[6]. C'est alors que le tyran naît pour perdre sa victime de plusieurs manières. Pour le vrai honnête homme, être uni par l'amitié à une autre personne, c'est partager avec lui ses pensées et ses émotions. Pour l'idéaliste fanatique, la même relation sert de prétexte à peser de tout le poids de sa personnalité sur celle de sa victime. Partager veut dire contraindre un autre être humain à épouser sans réserve toutes ses opinions:

> Les Imperieux nous tirannisent: il faut haïr ce qu'ils haïssent, fut-il aimable; il faut aimer ce qu'ils aiment, quand nous le trouverions desagréable et fâcheux; il faut faire violence à nôtre Naturel, asservir nôtre Jugement, renoncer à nôtre goût, et sous le beau nom de complaisance, avoir une soûmission générale pour tout ce qu'impose l'autorité (*Œuvres*, III, 287).

Par suite de cette mainmise, l'individualité de l'épicurien s'efface. Il ne possède plus de signification *per se*. Il est réduit à la fonction de satellite.

Mais la persécution ne s'arrête pas là. Animé par ce qu'il croit sincèrement être une sollicitude désintéressée envers sa victime, l'ami possessif se résoud à créer le bonheur de celle-ci. Malheureusement, dans

---

[6] Certes, Saint-Evremond exerçait un ascendant considérable sur le duc de Candale, mais il avait trop de bon sens et de discrétion pour attirer des ennuis à son protecteur. En outre, étant le contraire d'un fanatique, notre moraliste évitait le comportement déraisonnable qu'il dénonce ici.

sa perspective déformée, comme dans celle du héros racinien, créer le bonheur d'autrui veut dire constituer tout seul son bonheur. Cette fausse générosité aboutit à la construction d'un schéma de comportement tortueux. La frénésie de confiscation chez l'ami fanatique se manifeste sous forme d'un chagrin profond quand les actes de bonté des autres envers sa victime ont une issue heureuse, et apparaît comme une satisfaction immense quand leur intervention déclenche un désastre: "Les Jaloux nous incommodent: ennemis de tous les conseils qu'ils ne donnent pas; chagrins du bien qui nous arrive sans leur entremise; joyeux et contens du mal qui nous vient par le ministére des autres" (*Œuvres*, III, 287-288).

Quand bien même l'ami fanatique ne serait pas poussé par le besoin de tyranniser, sa victime n'en subirait pas moins de façon indirecte les répercussions de sa personnalité totalitaire. L'oppresseur attire le malheur sur son opprimé de l'extérieur. Les autres gens n'existent qu'en tant que prétextes permettant au fanatique de déployer sa ferveur de façon exhibitionniste. Puisque les intérêts des autres ne peuvent pas correspondre entièrement à ceux de son ami, il faut provoquer ceux-là comme s'ils étaient des ennemis. Le zélé a même l'obligation morale de les attaquer avant qu'ils ne puissent frapper. Aussi, l'honnête homme se rend-il compte que la tranquillité de sa vie a été brutalement interrompue. Cultiver une telle amitié au risque d'encourir l'inimitié du genre humain paraît à Saint-Evremond absolument déraisonnable. Il s'exprime sur ce sujet sans ambiguïté:

> L'affection d'un homme ne racommode point ce que sa sottise a gâté. Je lui rens graces de son zele impertinent, et lui conseille d'en faire valoir le mérite parmi les Sots. Si les lumieres de l'Entendement ne dirigent les mouvemens du Cœur, les Amis sont plus propres à nous fâcher qu'à nous plaire, plus capable de nous nuire que de nous servir (*Œuvres*, III, 288).

C'est sans doute par horreur de ce "zele impertinent" en amitié que Saint-Evremond a été amené à définir avec précision vers 1667 les limites de son propre dévouement envers ses amis:

> Si on me demande plus que de la chaleur et des soins pour les interêts de ceux que j'aime; plus que mes petits secours, tout foibles qu'ils sont dans les besoins; plus que la discretion dans le commerce, et le secret dans la confidence, qu'on aille chercher ailleurs des Amitiés: la mienne ne sauroit fournir rien davantage (*Œuvres*, III, 284).

Mais supposons que l'idéaliste hyperzélé n'essaie ni de tyranniser directement la conscience de son ami, ni de lui attirer indirectement la fureur de ses semblables. Supposons aussi que l'ami du fanatique partage l'idéale d'un attachement exclusif et totalitaire entre deux individus. Même si chacun des deux partenaires accepte la présence envahissante de l'autre, même s'il juge cette tyrannie réciproque indispensable à la durée de son amitié, jamais selon Saint-Evremond il n'atteindra le bonheur souhaité. Ici entre en jeu le deuxième critère qui peut s'énoncer également sous forme de maxime: Qui s'engage de façon exclusive envers une personne donnée, devient misanthrope envers le reste du genre humain. Comme le déclare Saint-Evremond: "...se réduire à n'aimer qu'une personne, c'est se disposer à haïr toutes les autres; et ce qu'on croit une Vertu admirable à l'égard d'un particulier, est un grand crime envers tout le monde" (*Œuvres*, III, 285-286).

En plus de faire tort au monde, un engagement exclusif fait tort aux deux individus qui s'y embarquent, car ils ne possèdent pas assez de ressources internes pour le soutenir indéfiniment. "Avec toute la simpathie du monde, tout le concert, toute l'intelligence, elle aura de la peine à fournir la consolation de l'ennui qu'elle fait naître", insiste notre moraliste (*Œuvres*, III, 286). Le vice de cette union résulte de sa vertu même. La contemplation ininterrompue par deux individus de leurs profondeurs intellectuelles et émotives ramène le rythme de leur existence au point mort. Ils finissent par stagner dans leur euphorie illusoire et par souhaiter l'évasion de la prison qu'ils se sont constituée. C'est qu'en se submergeant l'un dans l'autre, ils renoncent à la vie et à ses innombrables stimulants. Par l'ennui qu'ils engendrent ils risquent non seulement d'étouffer leur amitié, mais de retomber dans l'angoisse. Ainsi il faut trouver un compromis entre l'intimité que l'amitié exige, et les stimulants extérieurs dont chaque individu a grand besoin. Saint-Evremond le propose dans les deux passages suivants tirés de "L'Amitié sans amitié":

> C'est dans le monde, et dans un mélange de divertissemens et d'affaires, que les liaisons les plus utiles sont formées.
>
> Je fais plus de cas de la liaison de Monsieur le Marêchal d'Estrées et de Monsieur de Senecterre, qui ont vêcu cinquante ans à la Cour dans une confidence toûjours égale; je fais plus de cas de la confiance que Monsieur de Turenne a euë en Monsieur de Ruvigni, quarante ans durant; que de ces Amitiés toûjours citées, et jamais mises en ussage parmi les Hommes (*Œuvres*, III, 286-287).

A ce point se soulève un problème. Les passages déjà cités préconisant une attitude raisonnable et mesurée envers l'amitié sont tirés de l'essai déjà cité et au titre ironique: "L'Amitié sans amitié". Il a été écrit vraisemblablement avant celui intitulé "Sur l'amitié", où cette vertu se pare de véritable noblesse. Elle y paraît sous forme d'une sollicitude vive et généreuse. Sans se contredire, la pensée de Saint-Evremond s'est évidemment modifiée, voire raffinée. Est-ce donc à dire que le deuxième essai annule la conception plus pragmatique du premier? Pas vraiment. Si Saint-Evremond se montre capable d'exaltation et de générosité, il n'en continue pas moins à avoir le fanatisme en horreur, qu'il s'agisse du domaine politique, religieux ou moral. Or, la frénésie de confisquer l'existence d'un autre est une preuve de fanatisme, donc le contraire de la sollicitude et du dévouement. Il n'est pas interdit de penser que pour notre honnête homme, quiconque adopte un tel comportement ne mérite pas qu'on se dévoue pour lui.

Mais toute discussion portant sur la nature exacte de l'idéalisme de Saint-Evremond aurait été futile si sa vie n'en avait pas constitué la réalisation concrète. Heureusement, les actions de Saint-Evremond confirment ses principes de façon éloquente. A part les relations utilitaires qu'il avait nouées dans le contexte purement mondain, notre honnête homme s'évertua à vivre ses convictions. Qu'il ait pu être un ami loyal, généreux, et aimant est évident dans ses relations avec deux femmes hors du commun, la duchesse Mazarin et Ninon de Lenclos. Rien qu'à compulser la correspondance qu'il a entretenue avec elles, il est facile de réfuter l'accusation d'égoïsme que certains critiques comme Albert-Marie Schmidt lui ont lancée[7].

En effet, si l'intensité des sentiments que nous éprouvons à l'égard d'autres êtres humains se mesure par notre capacité de souffrir pour eux, on peut affirmer que Saint-Evremond a témoigné d'une affection des plus vives et prévenantes pour Mme Mazarin. S'étant réfugiée en Angleterre pour échapper à un mari tyrannique et faible d'esprit, Mme Mazarin contribua à désassombrir l'exil permanent de Saint-Evremond. Nous avons déjà fait allusion à la lettre que Saint-Evremond lui adressa en apprenant sa décision irrationnelle de s'enfermer pour toujours dans un couvent avec sa sœur, la connétable Colonna. La réaction de notre auteur y trahit le désarroi. En lisant cette lettre, on est pleinement persuadé qu'on n'a pas affaire à un hédoniste insensible résolu à cultiver seulement sa propre euphorie:

---

[7] Selon Schmidt, Saint-Evremond ne réussit jamais à effectuer "le passage de l'amitié-trafic à l'amitié pure", bien qu'il ait été tenté un moment par l'absolu qu'elle représentait. Emile Magne aussi accuse Saint-Evremond d'égoïsme profond et d'indifférence envers les autres. Voir Emile Magne, *Ninon de Lenclos* (Paris: Emile-Paul frères, 1925), p. 99. Enfin Mario-Paul Lafargue pense que Saint-Evremond ne donne que pour "recouvrer ses avances". Voir Mario-Paul Lafargue, *Saint-Evremond ou le Pétrone du XVIIe siècle* (Paris: Les Editions Francex, 1945), p. 52.

Depuis ce soir malheureux que vous m'apristes la funeste resolution que vous voulez prendre, je n'ay pas eu un moment de repos, ou pour mieux dire vous m'avez laissé une peine continuelle, une agitation bien plus violente que la simple perte du repos, qui seroit une assez grande affliction pour tout autre que pour moy (*Lettres*, I, 385).

Afin de dissuader Mme Mazarin de s'embarquer dans son aventure bizarre, Saint-Evremond fait appel à toute son éloquence, à toute la subtilité de son esprit. L'acte même de rassembler ses ressources intellectuelles et émotives pour implorer la belle Hortense de renoncer à sa résolution autodestructrice atteste le dévouement de notre honnête homme à son égard. Il peint pour elle une vision épouvantable de l'ambiance qui règne au couvent, de son ennui, de son effet abrutissant sur l'esprit. Il supplie Hortense de comparer le bonheur dont elle jouit en Angleterre avec la misère qu'il lui faudra endurer: "Le jour le plus heureux que vous passerez dans le couvent ne vaudra pas le plus triste que vous passez dans votre maison" (*Lettres*, I, 386). Comme nous l'avons déjà fait observer, notre auteur la contraint à prendre conscience de la contradiction à laquelle elle s'est acculée: elle renonce à sa vie terrestre, la seule qu'elle possède avec certitude, sans croire du tout aux récompenses réservées aux fidèles dans la suivante. Et notre épicurien invoque comme argument suprême la beauté incomparable que Dieu lui avait prodiguée afin de glorifier Son nom. Cacher ce chef-d'œuvre divin dans l'atmosphère lugubre d'un couvent serait commettre un acte de sacrilège:

Si le tems a le pouvoir d'effacer vos traits, comme il efface ceux des autres; s'il ruine un jour cette beauté que nous admirons, retirez-vous alors, et après avoir accomply les volontez de celuy qui vous a formée, allez chanter ses louanges dans le couvent. Mais suivez la disposition qu'il a fait de votre vie; car si vous prevenez l'heure qu'il a destinée pour votre retraite, vous trahirez ses intentions par une secrete complaisance pour son ennemi (*Lettres*, I, 390-391).

Bien entendu, on pourrait regarder d'un œil assez cynique le dévouement dont Saint-Evremond fait preuve envers son amie, parler comme Léon Petit d'amour sénile[8], et en minimiser la portée en insinuant qu'il souhaitait la retenir en Angleterre parce qu'il avait tellement besoin de sa présence. Il est vrai que cette dame sémillante et écervelée faisait la pluie et le beau temps dans le cœur de notre vieil épicurien. Mais un tel argument porte en lui-même sa propre réfutation. L'attachement que Saint-Evremond avait pour Mme Mazarin prouve non seulement qu'il était

---

[8] Léon Petit, *La Fontaine et Saint-Evremond ou La Tentation de l'Angleterre* (Toulouse: Privat, 1953), p. 115.

capable d'entretenir des relations significatives avec autrui, mais qu'il ne pouvait survivre sur le plan émotif sans elles. Du reste, l'affliction que notre auteur éprouve au sujet d'Hortense ne jaillit pas principalement de ses seuls besoins personnels. Tout en pleurant pour lui-même, il pleure pour un être très aimé qui est sur le point de ruiner sa propre vie. Cet altruisme éclate dans la supplication déchirante qu'il adresse à son amie vers la fin de la longue lettre:

> Ayez pitié de nous, Madame, si vous n'en avez de vous mesme. On peut se priver des commoditez de la vie pour l'amour de ses amis; nous vous demandons que vous vous priviez des tourmens, et nous ne sçaurions l'obtenir. Il faut que vous ayez une dureté bien naturelle, puis que vous estes la première à en ressentir les effets (*Lettres*, I, 394).

Dans le cas où les preuves déjà apportées ne paraîtraient pas assez convaincantes, citons quelques phrases d'une lettre que notre auteur écrivit au marquis de Canaples en 1699, peu après la mort inattendue de Mme Mazarin. Après avoir exprimé sa douleur inconsolable, Saint-Evremond parle de l'assistance financière qu'il avait offerte à son amie pendant ses périodes fréquentes de détresse, et d'une manière qui ne nous permet plus aucun doute sur la tendresse et la générosité de son cœur:

> Madame Mazarin m'a dû jusques à huit cens Livres Sterling; elle me devoit encore quatre cens Guinées quand elle est morte. Assurément elle disposoit de ce que j'avois, plus que moi-même: les extrêmitéz où elle s'est trouvée sont inconcevables. Je voudrois avoir donné ce qui me reste, et qu'elle vécût (*Lettres*, I, 300-301).

L'amitié célèbre que Saint-Evremond vouait à Ninon de Lenclos est moins dramatique mais également émouvante. Elle nous est révélée dans une série de lettres qu'ils échangèrent entre 1669 et 1700. Malgré le ton de sérénité qui règne dans leur correspondance, on perçoit par-ci par-là des frémissements d'émotion, des résonances de tristesse trahissant l'affection chaleureuse et durable qui existait entre eux. Nos deux épicuriens échangent des lettres à une époque où ils n'ont plus la certitude de se revoir. Saint-Evremond est en exil en Angleterre depuis 1661. Lui et Ninon ont déjà atteint un âge assez avancé. A mesure que les années se déroulent et que leurs forces déclinent, la possibilité de se revoir devient de plus en plus faible, nonobstant le pardon que Louis XIV avait fini par octroyer à Saint-Evremond en 1689. Les deux amis fidèles nourrissent l'espoir irréalisable de se retrouver un jour à table ensemble pour partager un bon dîner. Mais ils se rendent compte de l'impossibilité de cette rencontre, et de temps en temps une note de mélancolie transparaît à la surface de leur égalité d'âme épicurienne. Sept ans avant sa mort, Saint-Evremond soupire: "Désespérer de vous voir jamais est ce qui me fait le plus de peine". Et sept ans exactement avant la sienne, Ninon, en ayant recours au conditionnel, laisse entendre qu'elle sait très bien que son souhait le plus sincère ne sera pas exaucé: "Il ne faudrait pas mourir sans se voir" (*Lettres*, II, 281).

Bien qu'ils fussent destinés à ne jamais se revoir, ils demeurèrent l'un pour l'autre une grande source de consolation. En dépit de leur séparation physique, ils réussirent par le truchement de leurs lettres à préserver leur amitié. En fait, les lettres qu'ils s'adressèrent pendant une période de trente ans représentent une confirmation de ce sentiment. En outre, elles révèlent une remarquable harmonie de pensée et de cœur. On dirait un monologue à deux voix plutôt qu'un dialogue entre deux personnalités distinctes. Or, puisque Saint-Evremond et Ninon s'accordent à croire que l'amitié est la plus haute manifestation des rapports humains, nous envisagerons les sentiments exprimés par l'un comme étant plus ou moins interchangeables avec ceux de l'autre.

Pour Ninon aussi bien que pour Saint-Evremond, aucun individu ne saurait s'engager dans une amitié durable à moins de posséder une disposition affectueuse. Ninon suggère une telle vue dans une note brève à Saint-Evremond où elle lui fait part de sa douleur à propos de la mort de Charleval[9]. Parlant des qualités éminentes de leur ami commun, elle déclare: "Son esprit avait tous les charmes de la jeunesse, et son cœur toute la bonté et la tendresse désirable dans les véritables amis" (*Lettres*, II, 267). Ninon a l'air de nous dire qu'une personne possédant cette "bonté" et cette "tendresse" se comportera inévitablement en ami loyal. En effet, il n'est pas nécessaire que des épicuriens tels que Ninon et Saint-Evremond adhèrent à une religion pour pratiquer les vertus officiellement consacrées: la charité, la loyauté, et l'honnêteté. Ces qualités sont leur apanage naturel. Ils ne les pratiquent pas parce qu'ils sont des croyants inspirés par la peur de déplaire à Dieu. Ils en témoignent l'un envers l'autre parce qu'ils obéissent aux élans spontanés de leurs natures.

---

[9] Charles Faucon de Ris, seigneur de Charleval (1621-1693) était normand comme Saint-Evremond. Selon Tallement, il avait contribué, parmi d'autres, à rendre Ninon libertine. De santé chancelante, il réussit, en observant un régime très sobre, à décevoir l'attente de ses héritiers. Epicurien délicat, il appréciait les belles lettres, cultivait l'amitié, aimait les femmes mais, par souci de sa santé, ne franchissait jamais l'étape de la galanterie. Ninon éprouvait beaucoup d'affection pour Charleval, et se plaisait à évoquer avec lui l'époque de leur jeunesse.

Ninon ne se contente pas de savoir que Saint-Evremond ne souffre pas de privations matérielles. Elle le prie de la rassurer sur l'état de son moral: "Je vous prie que je sache par vous-même si vous avez rattrapé ce bonheur dont on jouit si peu en de certains tems" (*Lettres*, II, 276). Quand Saint-Evremond est sévèrement ébranlé par suite de la mort inattendue de Mme Mazarin, Ninon fait preuve à son égard d'une compréhension si compatissante qu'il a dû se réconforter à la pensée qu'une personne aussi chère était capable de partager son malheur:

> Quelle perte pour vous, Monsieur! Si on n'avoit pas à se perdre soi-même, on ne se consoleroit jamais. Je vous plains sensiblement: vous venez de perdre un Commerce aimable, qui vous a soûtenu dans un Pays étranger. Que peut-on faire pour remplacer un tel malheur? Ceux qui vivent longtems sont sujets à voir mourir leurs Amis…J'ai senti cette Mort comme si j'avois eu l'honneur de connoître Madame Mazarin. Elle a songé à moi dans mes maux; j'ai été touchée de cette bonté, et ce qu'elle étoit pour vous m'avoit attachée à elle (*Lettres*, II, 281).

La preuve la plus touchante de leur sollicitude réciproque se décèle dans les louanges qu'ils se prodiguent afin de raffermir leur vouloir vivre. Nous ne dirions pas que Saint-Evremond et Ninon procèdent à un embellissement systématique de leurs qualités respectives. Celles qu'ils aperçoivent l'un chez l'autre sont réelles. D'ailleurs ils prisent trop la lucidité pour se voir à travers des verres teints aux couleurs de l'arc-en-ciel. Mais, inspirés qu'ils sont par leur amitié affectueuse, chacun ne met au premier plan de sa conscience que les caractéristiques admirables de l'autre. En se rendant hommage, ils semblent vouloir cultiver l'illusion de pouvoir envelopper leur amitié d'une auréole magique qui la protège des ravages du temps, quoiqu'ils sachent que la victoire du temps est inéluctable. Aussi Saint-Evremond affirme-t-il que malgré la vieillesse qui empiète sur elle, l'image ravissante de la jeune Ninon sera toujours enchâssée dans son esprit pour y demeurer impérissable:

> Quand la malignité de la Nature auroit employé tout son pouvoir à faire quelque changement aux traits de vôtre visage, vous serez toûjours dans mon imagination comme dans la *Gloire de Niquée*, où vous savez qu'on ne change point (*Lettres*, II, 255).

Saint-Evremond semble ici faire figure de précurseur. C'est déjà le rêve éveillé de Gerard de Nerval qui fige le temps, qui rend à la beauté féminine son éternelle jeunesse. C'est que les "chers disparus" ne peuvent vieillir.

Et Ninon, charmée par les compliments gracieux mais sincères que Saint-Evremond lui transmet à travers la Manche comme s'il lui envoyait des baisers de la main, s'écrie:

Plût à Dieu que vous pûssiez penser de moi ce que vous dites! Je me passerois de toutes les Nations. Aussi est-ce à vous que la gloire en demeure. C'est un chef-d'œuvre que vôtre derniere lettre; elle a fait le sujet de toutes les conversations qu'on a eûës dans ma chambre depuis un mois (*Lettres*, I, 285).

L'affection et la constance qui caractérisent leur amitié expliquent sa force. Alors que les circonstances adverses auxquelles Ninon et Saint-Evremond devaient faire face auraient suffi à éteindre la plupart des amitiés, la leur ne se contente pas simplement de relever le défi du temps. Elle l'accueille en y voyant l'occasion d'affirmer son caractère exceptionnel. L'ombre redoutable de la mort se projette sur leurs existences. Mais la fierté d'avoir pu garder intacte une grande amitié pendant si longtemps, malgré tant d'obstacles, leur donne une raison de vivre. Saint-Evremond déclare: "...il faut se contenter de vous écrire quelquefois, pour entretenir une Amitié, qui a résisté à la longueur du tems, à l'éloignement des lieux, et à la froideur ordinaire de la vieillesse" (*Lettres*, II, 266). Et Ninon, également consciente du fait que leur amitié est hors de la portée du commun des mortels, émet une hypothèse charmante qui rend compte de leur séparation physique. Ninon et Saint-Evremond ne pourront plus jamais se revoir. Néanmoins, "il est", dit-elle, "assez beau de se souvenir toujours des personnes que l'on a aimées, et c'est peut-être pour embellir mon épitaphe que cette séparation du corps s'est faite" (*Lettres*, II, 267).

Il est presque superflu de faire remarquer que des incroyants capables, comme ces deux libertins, de vivre une amitié aussi exemplaire, n'ont rien à envier aux croyants obligés par leur foi de pratiquer la charité envers leurs prétendus "frères". A défaut de la grâce divine, nos deux amis possédaient la grâce humaine[10].

Etant un ami modèle, Saint-Evremond aurait peut-être pu devenir un chrétien admirable, et passer de l'amitié humaine à celle qui s'accomplit en Dieu, cette deuxième n'étant que la transposition sublimée de la première. On exagérerait à peine en soutenant qu'il lui manquait seulement la foi pour posséder l'essentiel du christianisme. En raison de

---

[10] Pour de plus amples renseignements sur les rapports sémantiques entre la grâce divine et la grâce humaine, voir l'ouvrage suivant: Kenneth Burke, *The Rhetoric of Religion: Studies in Logology* (Berkeley and Los Angeles: University of California Press, 1970), pp. 1-42.

son tempérament et de ses propres choix, Saint-Evremond était parvenu tout seul, sans engagement religieux, au niveau d'amélioration morale que le chrétien ardent, Pascal, promettait aux sceptiques qui auraient le courage de parier en faveur de l'existence de Dieu, et de mener une vie chrétienne irréprochable comme s'ils avaient déjà la foi. Pour exhorter le sceptique indécis à tout parier pour Dieu, Pascal l'assure qu'en agissant en vrai croyant il sera "fidèle, honnête, humble, reconnaisant, bienfaisant, ami sincère, véritable"[11]. Or, les qualités énumérées par Pascal, Saint-Evremond les avait toutes sans s'être donné la peine d'accepter le pari. Il était donc au bord de cette amitié suprême qui englobe l'humaine, celle qui lie l'homme à Dieu et lui permet d'aimer ses semblables en Dieu. Mais jamais il n'a voulu accomplir le bond de la foi, grâce auquel il aurait pu joindre les deux espèces d'amour de façon indissoluble et accéder ainsi à une euphorie sans bornes. C'est qu'en matière de religion, comme partout ailleurs, Saint-Evremond, bon disciple de Gassendi, entendait sauvegarder son indépendance d'esprit. Il est sensible à la beauté morale de l'amitié divine promise par la foi chrétienne aux croyants. Il respecte ses grands principes. Il n'en demeure pas moins réfractaire par pragmatisme à l'idée de l'adhésion de tout l'être qu'elle exige. Il admire, néanmoins il se tient à distance.

Pour Saint-Evremond, l'essentiel de l'amitié en Dieu qu'est le christianisme se recèle dans l'éthique de la charité, car n'importe qui peut la pratiquer, qu'il soit croyant, sceptique ou franchement athée, qu'il veuille mériter l'amour de Dieu ou s'attirer la bienveillante sympathie de Ses créatures. A cette partie de la foi chrétienne Saint-Evremond n'a jamais ménagé son adhésion. En fait, on s'aperçoit d'une harmonie profonde entre son tempérament porté à la tendresse et la morale des évangiles fondée sur l'amour du prochain. En honnête homme bien né, en partisan fervent de l'amitié, notre auteur ne pouvait manquer de lui vouer une admiration des plus sincères.

A première vue, toutefois, la religion chrétienne et l'épicurisme semblent incompatibles. L'éthique du christianisme n'implique-t-elle pas le dépassement de soi, par conséquent, le renoncement à soi, et même la souffrance? Une telle attitude envers la vie ne paraîtrait-elle pas moins que désirable à un hédoniste? Si Saint-Evremond avait vu dans l'éthique de la charité le sacrifice de soi aussi bien que la bienveillance envers autrui, il ne l'aurait peut-être pas proposée en modèle avec tant d'enthousiasme. Mais il prête au concept de la charité son interprétation hautement personnelle sans pour autant le trahir. En artiste épicurien, il pense que la

---

[11] Pascal, p. 138.

mise en œuvre de l'éthique des évangiles sera génératrice d'euphorie. Il n'est point étonnant que notre honnête homme approuve sans réserve l'impératif chrétien d'aimer son semblable comme un autre soi-même. Il déclare à plusieurs reprises qu'il a un penchant pour les sentiments tendres et délicats. La phrase peut-être la plus touchante qu'il ait écrite sur ce penchant de sa nature se trouve dans une lettre adressée au marquis de Créqui, où il avoue que sans la honte de voir son amitié rejetée, il aimerait pour le simple plaisir d'aimer, que ses sentiments fussent payés de retour ou non. Ainsi, une éthique qui ordonne aux croyants d'accomplir des actes de dévouement envers leurs frères attire sa sympathie immédiate. Pour notre auteur, l'immense supériorité dont jouit la religion du Christ par rapport aux autres consiste précisément dans cette relation d'amour qu'elle exalte comme idéal de la vie. Même les chrétiens les plus dévots y sont sensibles:

> J'ai observé que les Dévots les plus détachés du monde, que les Dévots les plus attachés à Dieu, aiment en Dieu les Dévots, pour se faire des objets visibles de leur Amitié. Une des grandes douceurs qu'on trouve à aimer Dieu, c'est de pouvoir aimer ceux qui l'aiment (*Œuvres*, III, 311).

Or, de même qu'une contradiction semblait exister entre l'éthique de la charité et l'épicurisme de Saint-Evremond, de même on dirait qu'il y a, au départ, incompatibilité entre les exigences inhérentes à la morale du Christ et celles qui commandent sa conception personnelle de l'amitié. Les deux s'appuient sur l'amour des hommes. Cependant, la religion chrétienne exige qu'on accorde l'amour à tous les êtres humains, tandis que Saint-Evremond soutient que l'honnête homme ne peut savourer l'amitié en tant que communion intime de consciences s'il s'engage à fond envers beaucoup d'individus. Cette contradiction se résout quand on tient compte du fait que selon notre épicurien l'éthique des évangiles devrait s'appliquer aux rapports humains en général. Il est vrai que pour lui le nombre d'amitiés doit être sévèrement limité. Mais pas le nombre de contacts. Nous avons vu que les amitiés, si belles qu'elles soient en elles-mêmes, ont absolument besoin d'être intégrées dans un contexte humain plus large afin de s'épanouir. Oui, Saint-Evremond nous exhorte à vivre pour quelques individus seulement qui vivent pour nous. Mais il nous avertit aussi du danger qui consiste à nous couper de "la société en général" d'où il nous faut tirer "des commodités et des agréments qui animent la particulière" (*Œuvres*, III, 286). "La société en général" étant donc indispensable à la préservation de notre euphorie, le meilleur moyen d'assurer la bonne volonté de nos semblables, c'est d'établir avec eux un pacte de bienveillance réciproque.

Comme l'amitié, ce pacte pourrait être entretenu avec une facilité relative, car il serait alimenté par le sentiment le plus agréable de tous, la tendresse. Puisque les hommes sont enclins à agir de façon à se procurer le plus de plaisir possible, ne pourrait-on pas imaginer une société dans laquelle la charité, étant un devoir tellement agréable, règne en souveraine absolue? Saint-Evremond laisse entendre cette hypothèse dans une distinction qu'il fait entre les exhortations négatives de la justice et celles, positives, de la vertu du Christ:

> La charité nous fait assister et secourir, quand la justice nous deffend seulement de faire injure; et celle cy empéche l'oppression avec peine, quand celle là procure avec plaisir le soulagement. Avec les vrais sentiments que nostre Religion nous inspire, il n'y a point d'ingrats dans les bienfaits. Avec ces bons sentimens, un cœur aime innocemment les objets que Dieu a rendus aimables; et ce qu'il y a d'innocent en nos amours, est ce qu'il y a de plus doux et de plus tendre (*Œuvres*, IV, 163).

Il va de soi que Saint-Evremond n'est pas un réformateur social. Sa nonchalance épicurienne exclut la possibilité d'un tel rôle. Mais on discerne dans l'hommage fervent qu'il rend à la charité la conviction que l'homme, de par les élans de tendresse de son cœur, possède en lui-même le moyen de créer un altruisme authentique. Altruisme qui ne serait pas limité au seul contexte privilégié de l'amitié, mais serait élargi pour embrasser tous les hommes. Evidemment, il y a là un élément d'utilitarisme. Nous devrions nous comporter avec bienveillance envers nos semblables puisque nous avons besoin de leur bonne volonté pour accroître notre propre plaisir. Cependant, Saint-Evremond ne mesure pas l'importance de la charité d'après les avantages tangibles qu'il en tirera. Il conçoit la morale du Christ en fonction de la joie extrême qu'il éprouvera à l'incarner dans des actes concrets en faveur d'autres êtres.

Naturellement, la charité telle que Saint-Evremond l'imagine est fondée sur l'amour-propre, et à cet égard, l'accusation cinglante que Pascal lance contre le libertin Damien Mitton à propos du "moi haïssable" pourrait être dirigée avec un égal bonheur contre notre moraliste[12]. Qu'importe, aurait-il pu riposter? Qu'importe, en vérité, si l'honnête homme ne parvient pas à transcender son égoïsme, pourvu que cette force, transposée sur le registre d'une aspiration à la tendresse, l'incite à se projeter au-delà des confins de sa conscience individuelle pour agir avec sollicitude envers ses frères. Par sa nature même, la délectation au sens janséniste qu'est "le principe secret d'affection" constitue les fondements naturels sur lesquels il serait possible d'asseoir une des grandes valeurs morales de la civilisation. Et dans la pensée de notre épicurien, la grandeur du christianisme consiste précisément à avoir reconnu le potentiel pour le

---

[12] Pascal, pp. 190-191.

bien que recèle le cœur humain et à l'avoir savamment exploité afin d'améliorer le sort de l'homme. La loi du Christ a réussi le coup brillant de combiner la volupté et la rigueur. Voilà ce qui ressort de l'évaluation singulière qu'en fait notre auteur dans l'essai "Considération sur la religion":

> Que les personnes grossieres et sensuelles se plaignent de nôtre Religion, pour la contrainte qu'elle leur donne; les gens delicats ont à se loüer de ce qu'elle leur épargne les dégouts et les repentirs. Plus entenduë que la philosophie voluptueuse dans la science des plaisirs, plus sage que la philosophie austere dans la science des mœurs, elle épure nostre goût pour la delicatesse et nos sentimens pour l'innocence (*Œuvres*, IV, 164).

Evaluation singulière, d'accord, mais compréhensible dans le contexte moral de notre honnête homme. Comme nous l'avons fait remarquer dans le contraste tracé entre l'amitié et l'amour, Saint-Evremond se délecte à se saturer de tendresse, tout en se méfiant des répercussions cataclysmiques que pourrait déclencher ce sentiment dans le cas où il assumerait les proportions de la passion. En spiritualisant l'élan érotique originel, le christianisme permet à l'épicurien de goûter l'intensité du sentiment sans craindre d'être aspiré dans un tourbillon démoniaque.

Il serait outré de conclure que Saint-Evremond recherche dans la foi chrétienne la même sérénité d'esprit et d'émotions que les précieuses réalisent par leur philosophie platonique de l'amour. La condamnation sans appel qu'il dirige contre elles exclut une telle hypothèse. Mais ce qui enchante son tempérament épicurien, c'est le raffinement exquis des sentiments qu'implique la morale du Christ. Raffinement si exquis, en effet, que les forces démoniaques se tenant à l'affût dans le subconscient de l'homme s'apaisent, s'endorment, et que l'homme, se livrant à la pure joie d'aimer, est à même de la répandre en dehors de lui, et de transformer toute sa vie en actes d'amour envers les autres. Dès lors que la religion des évangiles réussit mieux qu'aucune autre à élever l'être humain à un état d'euphorie indicible, notre auteur la place bien au-dessus de toutes les autres religions jamais pratiquées par les hommes:

> Toutes les autres religions remuent dans le fond de son ame des sentimens qui l'agitent et des passions qui le troublent; elles soulevent contre la nature des craintes superstitieuses ou des zeles furieux, tantot pour sacrifier ses enfans comme Agamemnon, tantot pour se devoüer soy méme comme Decie. La seule Religion chrétienne appaise ce qu'il y a chés nous d'agité, elle adoucit ce qu'il y a de feroce, elle employe ce que nous avons de tendre en nos mouvemens, non seulement avec nos amis, et avec nos proches, mais avec les indifferens et en faveur mesme de nos ennemis (*Œuvres*, IV, 164).

L'importance prépondérante que Saint-Evremond attribue à la morale du Christ pour régler les relations humaines nous aide à comprendre l'espèce de foi à laquelle il aurait donné son adhésion enthousiaste si, par l'intervention de la grâce, l'amitié humaine avait pu déboucher sur l'amitié divine. Une foi décapée de tous les enduits théologiques accumulés à travers les siècles, et réduite à ses deux composantes essentielles, organiquement liées: l'amour de l'homme, et l'amour de Dieu, le deuxième contenant le premier et l'accomplissant. Nous avons vu que pour Saint-Evremond, l'éthique de la religion chrétienne dénotait un élargissement de son idéal de l'amitié, et une sublimation du "principe secret d'affection" chez l'homme. Dans ce contexte spirituel, le rapport avec Dieu, ou l'amitié en Dieu telle que l'interprète notre moraliste, n'est que la transposition sur le registre sublime des élans de tendresse qu'Il ordonne à Ses créatures d'éprouver également les uns pour les autres. Exalté par sa conception personnelle du rapport humain-divin, Saint-Evremond transforme la communion de l'homme avec Dieu en une véritable affaire d'amour, où les actes d'adoration religieuse ressemblent singulièrement à la coquetterie, bien que de l'ordre le plus élevé. Dans son essai "Considération sur la religion", Saint-Evremond se plaît à évoquer les relations spéciales qui existent entre le croyant catholique et l'Etre Suprême. Dieu, source inépuisable d'amour, "objet souverainement aimable", sature la conscience de sa présence ineffable. Il va de soi que la créature humaine désire que cette extase se prolonge indéfiniment. Alors l'homme accomplit des actions qu'il sait agréables à son Seigneur dans le but de continuer à mériter Sa grâce:

> Nous regardons ce premier Estre comme un objet souverainement aimable, qui doit estre aimé, et les ames tendres sont touchées des douces et agreables impressions qu'il fait sur elles. Les bonnes œuvres suivent necessairement ce principe: car si l'amour se forme au dedans, il fait agir au dehors, et nous oblige à mettre tout en usage pour plaire à ce que nous aimons (*Œuvres*, IV, 153-154).

Des lecteurs croyants sont peut-être toujours déconcertés par les résonances mondaines de cette communion d'amour entre l'homme et Dieu. Dans deux textes, "Que la devotion est le dernier de nos amours", et "Lettre a une Dame galante qui vouloit devenir dévote", notre auteur même nous met en garde contre le danger d'apporter à l'Etre Suprême un cœur mal dégagé des passions purement humaines. Mais pour Saint-Evremond la beauté incomparable de l'amitié entre l'homme et Dieu tient à son caractère concret. A quoi servirait une conception éthérée du rapport Créateur-créature que l'homme aurait du mal à comprendre? Le fait que notre moraliste le conçoive ainsi ne signifie point une absence de respect de sa part envers la foi chrétienne. On pourrait plutôt soutenir le contraire.

Il nous semble que notre auteur envisage le rapport homme-Dieu en termes tellement humains parce que le grand amour qui en est la conséquence fait vibrer une corde intime de son être.

Dès lors que Saint-Evremond exalte l'amour comme un pont vital à travers lequel s'établit la communion entre l'homme et Dieu, il n'est pas du tout surprenant qu'il montre de l'indifférence envers les questions de doctrine, ou de la répulsion pour les haines féroces qu'elles déclenchent. Pour sacrosaintes qu'elles puissent paraître aux yeux de leurs partisans, les diverses interprétations "définitives" du rapport homme-Dieu produisent des aberrations de l'esprit qui sont parfois monstrueuses. Elles camouflent cette évidence élémentaire, à savoir, que tous les hommes, quelle que soit la religion qu'il leur arrive d'embrasser, aspirent au même épanouissement du cœur. Avec une sagesse remarquable Saint-Evremond affirme:

> Ce que nous appelons aujourd'hui les Religions n'est à le bien prendre que difference dans la Religion et non pas Religion differente. Je me réjoüis de croire plus sainement qu'un huguenot; cependant au lieu de le haïr pour la difference d'opinion, il m'est cher de ce qu'il convient de mon principe (*Œuvres*, IV, 152).

Il va de soi que ce "principe", le dénominateur commun unissant les croyants de toutes les religions, c'est l'amour de Dieu et de Ses créatures.

Il y a une raison fondamentale pour laquelle Saint-Evremond rejette "les religions" en faveur de ce qu'il pense être le noyau du christianisme. C'est qu'elles sont toutes des constructions arbitraires de l'esprit humain. Jugées d'après le critère evremonien de l'euphorie, ce sont de lamentables échecs, car elles sèment la discorde et la violence parmi les hommes. Les diverses croyances ne résultent pas d'une inspiration de la providence, mais se développent à la suite de phénomènes purement humains qu'il répugne aux fanatiques de reconnaître. L'environnement compte pour beaucoup dans les convictions religieuses qu'on épouse. Un partisan se croira inspiré par Dieu du seul fait que la formation de sa jeunesse, renforcée par la coutume, a gravé une foi donnée dans son cerveau en traits indélébiles. Saint-Evremond laisse entendre cette opinion quand il assure son ami huguenot, Henri Justel[13], qu'il n'entreprendra pas la

---

[13] Bibliophile, épistolier inlassable, protestant fervent et passionné d'études bibliques, Henri Justel (1620-1693) quitta la France en 1682 et se réfugia à Londres afin de pouvoir pratiquer sa foi sans peur de représailles. Contrairement à d'autres coreligionnaires, il refusa de transiger sur les principes de sa foi. Mais Justel n'était nullement fanatique. Il désapprouvait le sectarisme religieux et détestait l'intolérance qui en résultait. Il avait même de très bons amis parmi les catholiques. Comme Saint-Evremond, il désirait que tous les chrétiens pussent vivre côte à côte dans une société tolérante. Ayant peur que ses biens laissés en France ne soient confisqués, il songea un moment à y retourner, et se

mission futile de convertir une personne croyant dur comme fer que sa religion est la meilleure:

> Je vous exhorterois vainement à y renoncer, dans la disposition où vous êtes; un sentiment comme naturel, qui se forme des premieres impressions; l'attachement qu'on se fait par les anciennes habitudes; la peine qu'on a de quitter une créance dans laquelle on est nourri, pour en prendre une autre où l'on a vécu toûjours opposé; une delicatesse de scrupule; une fausse opinion de constance, sont des liens que vous romprez difficilement... (*Œuvres*, IV, 280).

Naturellement, quand divers individus ou sectes croyant tous avoir raison avec la même ferveur que Justel s'engagent dans une discussion idéologique, il est inévitable que les disputes se déchaînent. Etant en proie à un ensemble d'idées fixes, chaque secte s'acharne à élaborer des arguments ingénieux en faveur de sa foi qui, bien sûr, n'est jamais acceptée par ses adversaires, et dès que le débat est entamé, il continue *ad infinitum*: "Comme les raisonnements sont infinis, les controverses dureront autant que le genre humain qui les fait" (*Œuvres*, IV, 160).

Si plusieurs sectes à la fois prétendent posséder la doctrine définitive sur le rapport homme-Dieu, si elles se proclament toutes en même temps les détentrices du monopole de la vérité, comment prendre aucune au sérieux? Une révélation provenant de Dieu est l'unique qui mérite d'être acceptée universellement. Dieu seul étant infini, c'est Lui seul qui peut transcender la finitude des. individus et des sectes. Ses créatures étant piteusement finies, elles opposent une doctrine à une autre avec véhémence, et par leur antagonisme irréductible, s'excluent les unes les autres comme les interprètes de la volonté divine. Bien que Saint-Evremond n'affirme pas cette vue de façon explicite, il la suggère dans sa "Lettre à Monsieur Justel" aussi bien que dans "Considération sur la Religion". Il y souligne les nombreuses divergences doctrinales qui perpétuent l'hostilité entre les catholiques et les protestants. Les catholiques ont confiance en l'amour sans bornes de Dieu. Les protestants tremblent devant Ses jugements irrévocables. Les catholiques encouragent l'initiative personnelle dans le but d'accomplir des actes qui méritent la grâce de Dieu. Les protestants accusent les catholiques d'être plongés dans la superstition et l'idolâtrie, et pourtant leur méfiance obsessionnelle à l'endroit des symboles du rite est en elle-même une superstition. Ils méprisent leurs frères catholiques parce que ceux-ci croient en des mystères incompréhensibles. Néanmoins eux-mêmes donnent leur adhésion à des hypothèses qui ne sont pas moins grotesques. Si seulement

---

berça même de l'illusion que le sort des protestants s'améliorerait. Mais il dut vite déchanter. Justel accepta d'achever ses jours en exil.

les deux adversaires se contentaient de se détester à distance. Mais poussé par un orgueil pervers, chacun se désigne comme l'autorité suprême sur la religion d'amour, et, enivré du sentiment d'avoir absolument raison, cherche à détruire l'autre du seul fait que celui-ci aime Dieu d'une manière différente: "Il y a pery cent mille hommes a contester de quelle maniere on prenoit au sacrement, ce qu'on demeuroit d'accord d'y prendre" (*Œuvres*, IV, 165), fait observer notre auteur, effaré de cette folie monumentale. Saint-Evremond est ici l'incontestable précurseur de Voltaire.

Les tragédies provoquées par les conflits religieux lui semblent constituer la justification la plus éloquente de sa conception personnelle de la religion chrétienne. En dénonçant avec tant de vigueur la mauvaise foi et l'arrogance des fanatiques de tous les bords, Saint-Evremond donne l'impression que sa propre version de la foi fondée tout simplement sur l'amour est la seule capable d'empêcher l'homme de dégénérer en bête sauvage au nom du Père miséricordieux:

> C'est un mal qui dure encore et qui durera toûjours, jusqu'à ce que la Religion repasse de la curiosité de nos esprits à la tendresse de nos cœurs, et que rebuttée de la folle presomtion de nos lumieres, elle aille retrouver les doux mouvemens de nostre amour (*Œuvres*, IV, 165).

La perspective d'un rapport avec Dieu fondé sur "les doux mouvemens de l'amour" a dû paraître séduisante à la sensibilité de Saint-Evremond. Mais un élan encore plus élémentaire que le besoin de tendresse l'attirait vers la foi chrétienne et l'amitié divine qu'elle promet: une soif d'immortalité. Celle-ci n'est pas synonyme d'une aspiration romantique vers un état semblable à celui de Dieu. La visée de notre épicurien est beaucoup plus humble. Elle résulte de l'anxiété qu'il éprouvait au sujet de la dissolution éventuelle de son être. Par instinct de conservation de soi, notre auteur recherchait une solution au problème de la vie après la mort. On se rappellera le passage de "Considération sur la religion" où il affirme que ne serait-ce que par simple curiosité, l'homme a envie de savoir ce qu'il deviendra après la mort. Chez notre épicurien, il y avait plus que de la simple curiosité. Sa préoccupation au sujet de l'immortalité se traduisait par une recherche de grande envergure qui aboutirait, du moins l'espérait-il, à une certitude quelconque, ne serait-ce que négative:

> Pour penetrer dans une chose si cachée, j'ay appellé au secours de mes reflections les lumieres des anciens et des modernes; j'ay voulu lire tout ce qui s'est écrit de l'immortalité de l'ame, et après avoir tout leu avec

attention, la meilleure preuve que je trouve de l'éternité de mon esprit, c'est une eternelle curiosité que j'auray toûjours de la connoitre (*Œuvres*, IV, 150).

Cette curiosité-là, ni Socrate, ni Aristote, ni Epicure, ni Sénèque, ni son contemporain, Descartes, n'a pu la satisfaire. Après les avoir consultés, Saint-Evremond en arrive à une conclusion pessimiste: aucune philosophie ne peut nous délivrer de l'angoisse ontologique, et ce serait folie que de s'y attendre. Celle de Descartes, en particulier, semble lui avoir causé une déception d'autant plus vive que Saint-Evremond avait attendu avec tant d'impatience sa démonstration apparemment irréfutable de l'immortalité de l'âme. Mais là où le philosophe français a présenté des certitudes, notre auteur n'a vu qu'hypothèses gratuites.

En l'absence d'aucune preuve philosophique convaincante, il ne reste de l'idée de l'immortalité de l'âme qu'un beau mirage que Saint-Evremond ne se donne plus la peine de poursuivre. Il n'est que de citer le passage de son texte "L'Homme qui veut conoistre toutes choses" où notre moraliste nous rappelle l'échec qu'ont subi tous les esprits, depuis les plus fins jusqu'aux plus grossiers, quand ils ont entrepris d'éclairer ce mystère impénétrable:

> Ne vous imaginez pas que les honestes gens des Siecles passez ayent vescu à l'avanture; vostre curiosité a esté de tous les Siecles; les Hommes les plus stupides sont penetrez encore aujourd'huy de la mesme envie que vous avez; les plus emportez reviennent quelquefois à ces pensées; les libertins mesmes ne peuvent s'empescher d'y faire quelque reflexion; personne n'est insensible à une consideration si generale; chacun y pense, mais y pense avec peu de fruit: de sorte qu'aprés y avoir resvé inutilement, on trouve que c'est sagesse de n'y resver pas davantage, et de se soûmettre aux ordres de la Providence (*Œuvres*, II, 117-118).

Comme l'a démontré René Ternois, dès 1647 Saint-Evremond avait pris conscience de l'impossibilité de résoudre un tel problème, et s'était même fort bien accommodé de sa découverte[14]. Son scepticisme résulte de sa conviction que ni la raison ni le cœur, les deux moyens de connaissance de la foi selon les théologiens, ne sont aptes à capter des certitudes dans ce domaine.

La raison échoue, car elle s'égare dans des hypothèses invérifiables. Comme nous l'avons souligné au premier chapitre, cette faculté, pour notre moraliste, n'est pas l'entité majestueuse de Descartes, qui fonctionne dans un vide intellectuel et sonde les profondeurs du réel sans condescendre à vérifier ses conclusions en consultant les données de

---

[14] *Œuvres*, II, p. 111.

l'expérience. Son activité est inséparable de l'expérience tangible. La raison est certes un instrument de connaissance, mais il lui faut appréhender des objets de pensée substantiels pour pouvoir arriver à des résultats concluants. La raison ne conçoit que ce qu'elle connaît, et elle ne peut connaître que ce qui a été perçu sous une forme concrète par la conscience. Voilà pourquoi notre auteur parle de la "répugnance des lumieres naturelles" vis-à-vis des doctrines théologiques qui ordonnent de croire sans preuves à l'existence de Dieu (*Œuvres*, III, 366). Quand la raison s'égare hors du royaume empirique, elle n'est plus un agent de connaissance précis. Elle se confond avec la faculté qui enfante des chimères, à savoir, l'imagination. Ses productions ne sont alors que des spéculations et dans le vocabulaire de Saint-Evremond, le terme comporte une connotation péjorative. S'il tourne en dérision les spéculateurs théologiques, c'est que ceux-ci se vantent sottement d'avoir capté ce qui transcende de loin les frontières de l'esprit humain:

> ...aussi hardis à définir, qu'indiscrets à rechercher, nous établissons une science comme asseurée de choses qu'il nous est impossible méme de concevoir; tel est le méchant usage de l'entendement et de la volonté (*Œuvres*, IV, 159).

Ainsi, quand Descartes démontre avec fierté l'existence d'une substance purement spirituelle qui doit penser éternellement, Saint-Evremond méprise ses démonstrations et les taxe de rêveries pures (*Œuvres*, II, 137).

Or, tout en rejetant les preuves "rationnelles" de Descartes de l'existence de Dieu et de l'immortalité de l'âme, Saint-Evremond ne déclare pas catégoriquement qu'elles sont fausses. Puisque le royaume du surnaturel est imperméable à l'activité de l'intellect, il est impossible de démontrer de façon absolument définitive que Descartes a tort. Mais il est impossible de démontrer qu'il a raison. Voilà le dilemme de l'homme. Son intelligence lui défend d'accepter des hypothèses invérifiables, et elle ne possède pas l'cnvergure infinie qui lui permettrait de déterminer si celles-là éclairent une réalité transcendante. Ecrivant une deuxième fois au même jeune homme fictif qui perd sa vie à méditer sur les mystères du destin humain, Saint-Evremond affirme:

> Je reviens à l'opinion que vous n'aprouverez point, et que je croi pourtant assez véritable; c'est que jamais homme n'a été bien persuadé par sa Raison, ou que l'Ame fut certainement immortelle, ou qu'elle s'anéantît effectivement avec le Corps (*Œuvres*, II, 135).

La raison est donc contrainte, tôt ou tard, d'avouer son impuissance. Mais le cœur, l'autre prétendu organe de la connaissance surnaturelle, n'est pas plus digne de confiance. Saint-Evremond croyait (ou faisait semblant de croire pour humilier l'orgueil des spéculateurs théologiques) que s'il était possible de franchir le gouffre infini qui sépare l'homme de

Dieu, ce ne serait point par le raisonnement mais par le sentiment. Selon notre auteur il existe une harmonie profonde entre le désir ardent d'aimer dans le cœur humain et la miséricorde infinie de Dieu pour ses créatures. En tant que générateur d'élans vers la tendresse, le cœur crée en lui-même une attente très propice à l'accueil de la grâce divine. Vers 1670 il écrit: "Il y a je ne sais quoi au fond de notre âme qui se meut secrètement pour un Dieu que nous ne pouvons connaître" (*Œuvres*, IV, 162). Quand Dieu imprègne le cœur de Son amour, cet organe sent Sa présence sans être capable d'appréhender Sa nature. La certitude qu'une personne croit posséder pendant des moments d'extase est purement instinctive. Comme s'Il voulait rabaisser l'orgueil de l'homme, Dieu, selon notre moraliste, n'ouvre le royaume du surnaturel qu'à la partie de la psyché qui accepte avec reconnaissance sans tenter de vérifier: "Le Ciel a mieux préparé nos cœurs à l'impression de sa grace, que nos entendemens à celle de sa lumiere. Son immensité confond notre petite intelligence, sa bonté a plus de rapport à nostre amour" (*Œuvres*, IV, 162).

Mais hélas, la joie indicible que le croyant éprouve à l'idée de recevoir la grâce, donc l'amitié de Dieu, est de courte durée. C'est que le cœur pour notre auteur n'est pas l'instrument de perception transrationnelle cher aux dévots. Il ne peut donc pas être le point d'insertion de la grâce comme l'entendait Pascal. Après avoir été submergée par l'enthousiasme ardent du cœur, tôt ou tard la raison réaffirme sa prérogative de vérificatrice de l'expérience religieuse, et cherche à élucider l'objet de son extase. Quand la faculté rationnelle réclame le droit de vérifier ce que le cœur a intensément ressenti, il s'ensuit un clivage à l'intérieur de la conscience du croyant. Celui-ci est transporté par une présence divine en lui-même de l'authenticité de laquelle il commence à douter. Tant qu'il s'abandonne à ses élans joyeux, il est animé par une foi exubérante. Même les actes d'abnégation les plus sévères, ceux qui signifient un renoncement au bonheur terrestre, se justifient parfaitement dans le contexte de la croyance en Dieu. Mais dès que sa raison soumet cette joie apparemment surnaturelle à l'épreuve de l'analyse, elle constate qu'il n'existe aucune évidence tangible d'une présence divine. C'est alors que les croyants commencent à se demander avec inquiétude si leur conviction n'était pas le résultat d'une autosuggestion intense:

> Quand ils s'abandonnoient aux mouvemens de leur cœur, ce n'étoit que zéle pour la religion, tout étoit ferveur, tout amour; quand ils se tournoient à l'intelligence de l'esprit, ils se trouvoient étonnés de ne pas comprendre ce qu'ils aimoient, et de ne sçavoir comment se répondre à eux mémes du sujet de leur amour (*Œuvres*, III, 366).

Une fois que le doute empiète sur leur conscience, ils sombrent dans un désespoir profond. Il leur répugne d'abandonner leur foi en dépit d'une absence de preuves concrètes qui la corroborent, et pourtant ils ne peuvent pas forcer leur esprit à se taire. Pour satisfaire leur cœur ainsi que leur intelligence, pour atténuer quelque peu leur désespoir, ils s'avisent d'une solution illusoire. Leur ancienne foi enthousiaste est transposée plus bas sur un registre terrestre. Elle devient la nostalgie poignante de la foi. Dès lors que l'esprit empêche le cœur d'entraîner l'être dans un engagement envers Dieu, celui-ci, propulsé par un désir ardent de l'amour divin, engendre une volonté de croire qui peut obscurcir temporairement l'évidence que la vraie croyance relève du domaine des souhaits irréalisables. En l'absence de toute preuve matérielle de l'existence de Dieu, les dévots qui ne peuvent se passer de cette amitié divine, créent avec tous leurs vœux inexaucés une image intérieure de Lui qu'ils persistent à aimer, soutenus qu'ils sont par la conviction que si Dieu existait réellement, Il mériterait leur amour. Il est très douteux que Saint-Evremond ait jamais vécu cette sorte d'amitié en Dieu qui se berce sciemment d'illusions. En tout cas, il éprouvait une sympathie profonde pour ceux qui embrassaient cette espérance désespérée: "J'ay connu des devots qui dans une certaine contrariété entre le cœur et l'esprit, aimoient Dieu véritablement sans y bien croire" (*Œuvres*, III, 365-366). On se demande si ces dévots auraient même pu proclamer à la suite de Tertullien, "credo quia absurdum"[15]. Une telle profession de foi implique le rejet de la raison en faveur du cœur, alors que le dilemme des esprits religieux dont parle notre auteur consiste à être intimement déchiré entre les deux, et ce, pour toujours.

En raison de leur dilemme particulier, les dévots incarnent sous sa forme la plus pathétique et la plus dramatique ce qui est pour Saint-Evremond une caractéristique essentielle de la condition humaine: un mouvement d'oscillation continue entre la certitude et le doute, l'euphorie et la détresse:

> Que les Sages, que les Sçavants s'estudient, ils trouveront souvent de l'alteration, et quelquefois une contrariété toute entiere dans leurs sentimens. A moins que la Foy n'assujetisse nostre raison, nous passons la vie à croire, et à ne croire point; à vouloir nous persuader, et à ne pouvoir nous convaincre: l'activité de nostre esprit nous donne assez de mouvement, mais ses lumieres sont trop foibles pour nous conduire (*Œuvres*, II, 130).

En expliquant sa pensée, notre auteur a recours à la première personne plurielle. Or, il est très probable que le "nous" bienséant dissimule un "je"

---

[15] Tertullien (v 155-v 220), apologiste de la foi chrétienne, auteur d'une *Apologétique*, il polémiqua contre les chrétiens dont la foi était tiède.

audacieux, et que notre honnête homme se sert de l'argument de l'instabilité congénitale de la nature humaine pour justifier subrepticement son scepticisme en matière de foi.

Puisque la raison ne peut parvenir à aucun résultat, l'homme est condamné à une inquiétude perpétuelle, ce qui est évidemment incompatible avec la vraie croyance. Quel que soit le plan sur lequel se déroule son existence, Saint-Evremond pense que l'homme en général (et peut-être lui-même en particulier) s'ennuie tôt ou tard de tout objet auquel il s'attache trop longtemps. Que cet ennui résulte de l'examen rigoureux de la raison ou de la propension très humaine à se saturer rapidement de ce qui passionne, l'homme passe à travers un cycle d'adhésion enthousiaste et de lassitude à l'endroit de chacune de ses inclinations. Ainsi, après s'être repu des plaisirs de la terre, il s'en dégoûte, et recherche avec avidité la plénitude spirituelle offerte par la religion. Cependant, comme le fait observer notre moraliste avec sa lucidité habituelle:

> C'est un tour et un retour continuel de la nature à la religion, et de la religion à la nature. Si nous quittons le soin du salut pour contenter nos inclinations, ces mémes inclinations se souslevent bien-tôt contre leurs plaisirs, et le dégoût des objets qui les ont flattées davantage, nous renvoye aux soins de nôtre salut. Que si nous renonçons à nos plaisirs par principe de conscience, la méme chose nous arrive dans l'attachement au salut, où l'habitude et l'ennui nous rejettent aux objets de nos premieres inclinations (*Œuvres*, III, 363).

Si Saint-Evremond était persuadé qu'aucun effort purement humain de sentir ou de comprendre ne mettrait à sa portée la croyance en Dieu et en l'immortalité de l'âme, pourquoi n'a-t-il pas effectué le bond de la foi à la manière du sceptique bouleversé de Pascal? C'est que par tempérament, notre libertin n'était pas assez tourmenté par les contradictions de la nature humaine et de la sienne propre pour le faire. C'est qu'en rejetant la raison avec dédain il se serait enfoncé dans le domaine de l'incompréhensible, et par conséquent, aurait couru le risque de perdre son contact avec la réalité concrète, seule pierre de touche pour déterminer la valeur d'une expérience. Saint-Evremond aurait pu peut-être suivre le pari pascalien. Il aurait même pu concéder que lorsqu'il y a des chances finies de gain et de perte et une infinité de bonheur à gagner d'une part, et que, de l'autre, ce qu'on risque est également fini, il ne serait pas déraisonnable de parier que Dieu existe et d'agir par la suite comme s'Il existait en effet. Mais pour notre épicurien, un gouffre infranchissable se creusait entre des hypothèses transformées en articles de foi et des preuves concrètes que la raison seule peut fournir.

Certes, la raison humaine a des défauts insignes, et Saint-Evremond en est pleinement conscient. Elle ne peut pénétrer dans le domaine du surnaturel pour corroborer ou nier les aspirations instinctives du cœur. Elle ne peut même pas appréhender tous les aspects d'un objet de pensée à la fois, étant donné que sa propre activité se règle sur la mobilité naturelle de l'être. Notre libertin est d'accord avec Gassendi, son maître à penser, qui disait que la nature avait donné tant d'ambition à la curiosité et si peu d'étendue à la connaissance. Cependant, cette faculté rationnelle est le seul instrument de connaissance qu'il possède, le seul agent qui lui permette de distinguer entre les faits et les constructions de sa fantaisie. Par conséquent, croire, contre le conseil de son esprit pragmatique, en un Dieu de l'existence de qui notre épicurien n'avait aucune preuve tangible aurait été un acte de malhonnêteté et une duperie volontaire. Se rendant compte jusqu'à quel point la recherche de l'inaccessible était futile, Saint-Evremond a pu déclarer dès 1647 dans la lettre d'admonition au jeune savant dévoré par une ambition démesurée:

> Je le repete pour la derniere fois, Monsieur, travaillez tant qu'il vous plaira pour vous conoître, consultez tous vos Livres, consumez vos plus beaux jours à   mediter sur l'Immortalité de l'Ame, vous trouverez qu'il n'apartient qu'à la Religion d'en décider. Pour moy je vous avouë que sans elle, la pensée de l'Eternité n'ocuperoit pas le moment le plus inutile de ma vie (*Œuvres*, II, 133).

Devant une affirmation aussi claire d'indifférence (revêtue, il est vrai, d'une apparence de fidéisme), on a peine à comprendre qu'Albert-Marie Schmidt ait pu reprocher à Saint-Evremond son refus d'adhérer à la foi chrétienne, alors que ce rejet constitue le témoignage même de sa probité[16]. On s'étonne également qu'Henri Busson ait pu voir en Saint-Evremond un cœur anxieux qui n'a su ni se libérer entièrement, ni choisir la croyance[17]. L'évidence pourtant saute aux yeux. Notre honnête homme est, en fin de compte, un sceptique chrétien[18]. Il a une profonde sympathie pour la foi du Christ, et pour ceux qui la pratiquent sincèrement. Mais nous ne croyons pas, comme le suggère H. T. Barnwell, qu'il en éprouve

---

[16] Schmidt, p. 8. Ce critique ne semble pas avoir pardonné à Saint-Evremond son refus de renoncer à son scepticisme pour faire le bond de la foi. Il lui reproche de cultiver "l'humanisme impur d'une âme incurablement chrétienne qui meurt de ne pas choisir". Par contre, Paul Hazard n'est pas du tout sûr que Saint-Evremond ait eu le cœur nostalgique. Voir Paul Hazard, *La Crise de la conscience européenne 1680-1715* (Paris: Fayard, 1961), p. 114.

[17] Henri Busson, *La Religion des classiques (1660-1685)* (Paris: Presses Universitaires de France, 1948), p. 228.

[18] Voir Léonard A. Rosmarin, "A Christian Sceptic: The Seigneur de Saint-Evremond", *Laurentian University Review*, 4, No. 1 (November 1971), 3-14.

même la nostalgie[19]. Comme nous l'avons fait observer, en honnête homme distingué, il ne pouvait manquer d'être sensible à l'élévation morale de cette amitié divine à laquelle la foi chrétienne exhorte ses fidèles. En épicurien averti, il savait que dans le cas où une telle union spirituelle existerait réellement, elle représenterait l'euphorie suprême. Mais c'est à cause de son honnêteté même dont la probité fait partie intégrante que notre auteur était incapable de se bercer d'illusions sur sa capacité de croire. En l'absence de Dieu, notre artiste de l'euphorie eut donc le courage et le bon sens de miser sur l'homme.

[19] Barnwell, p. 113.

Conclusion: La Morale de l'euphorie et la morale traditionnelle

LE REFUS PAR SAINT-EVREMOND DE LA FOI chrétienne et de sa promesse de béatitude éternelle fait ressortir encore une fois les exigences de modération et de lucidité qui caractérisent sa morale de l'euphorie fondée sur l'exploitation des possibilités internes de l'homme en tant qu'individu menant une existence finie. Cet eudémonisme, on serait presque tenté de le juger anti-idéologique. Rappelons-nous les propos de notre auteur à son ami profondément huguenot, Henri Justel. Selon Saint-Evremond, le choix d'une religion que nous croyons volontaire, est plutôt attribuable à un réseau de circonstances affectives parmi lesquelles l'habitude joue un rôle d'une importance capitale. Les conséquences d'une telle idée ne sont pas difficiles à déduire. D'autres réseaux de circonstances auraient donné naissance à d'autres formes d'engagement que l'habitude aurait pu également renforcer. Toutes les idéologies étant donc relatives, aucune ne mérite d'être considérée comme sacrosainte, aucune ne devrait détenir le pouvoir de faire le malheur d'un homme. Leur caractère général s'oppose à la spécificité de l'individu. Mais ce qui est beaucoup plus grave, c'est que les philosophies qui se disent des systèmes globaux sont dépassées par le réel qu'elles ont la prétention d'étreindre. Du fait qu'elles sont prisonnières d'elles-mêmes, elles ne peuvent pas tenir compte de la complexité mouvante de la vie. Notre moraliste nous autorise à tirer de telles conclusions dans son essai sur Epicure où il fait observer que l'esprit humain, "dans un mouvement continuel", est incapable d'englober "les faces différentes" dont se composent les objets de notre expérience (*Œuvres*, III, 435).

Il va de soi qu'on ne peut pas vivre sans idéologie, et que le refus d'en avoir représente déjà une prise de position. Saint-Evremond serait entièrement d'accord. Selon lui les divers systèmes de pensée, qu'ils soient politiques, sociaux ou religieux, sont indispensables au maintien de la vie civile. Si notre libertin fait semblant d'adhérer à la religion catholique plutôt qu'à la protestante, c'est qu'il estime que l'unité vaut mieux que la division. Les divers codes qui régissent la vie d'une nation ont droit à notre adhésion extérieure à condition qu'ils n'usurpent pas l'essentiel, à savoir, la liberté de déterminer en tant qu'individus ce qui constitue pour nous le bonheur. Parlant à Henri Justel des droits et devoirs des huguenots vis-à-vis de l'état catholique où ils habitent, notre auteur déclare: "…soyez persuadés que les Princes ont autant de droit sur l'extérieur de la Religion qu'en ont les Sujets sur le fond de leur Conscience" (*Œuvres*, IV, 279). L'honnête homme avec sa "pensée de derrière"[1] accepte une idéologie donnée comme un mode de vie provisoire, quitte à l'abandonner pour un autre quand il se trouve dans des circonstances différentes. Il suffit seulement d'être adaptable. Et Saint-Evremond l'a été. Homme assez remarquable à cet égard, il s'est senti à l'aise aussi bien en Angleterre qu'en France, et aurait sans doute mieux goûté la Hollande sans l'ennui mortel que lui causait la régularité excessivement vertueuse de ses mœurs, dont nous avons déjà parlé[2].

A leurs façons, les différentes croyances sont des formes de divertissement dans le sens qu'elles détournent l'homme de la contemplation de son angoisse en créant pour lui des ordres de valeurs qui donnent un but à son existence. L'inconvénient, c'est qu'elles l'amènent souvent à chercher son bonheur en dehors de lui-même. Par contre, la morale de l'euphorie chez notre épicurien est fondée sur la conviction que le bonheur naît du dedans. Morale très éclairée et réconfortante, car elle se modèle sur les besoins de l'individu au lieu d'exiger de lui qu'il se conforme strictement aux règles imposées de l'extérieur. Certes, la morale de l'euphorie est une idéologie aussi puisqu'elle préconise la mise en œuvre de certains principes. Mais c'en est une qui sert l'homme au lieu de l'asservir. Et dans la mesure où elle l'encourage à s'épanouir parmi ses semblables, elle l'empêche d'assombrir leur existence.

Saint-Evremond a admirablement compris que le salut de l'homme sur le plan terrestre peut venir de lui-même, que celui-ci recèle dans sa propre nature de quoi combattre l'angoisse née de la prise de conscience de sa condition mortelle. Comme notre épicurien l'a illustré par son propre comportement, l'homme assure le triomphe temporaire de l'être sur le néant en puisant dans ses forces vives. Il va de soi que pour célébrer la vie, Saint-Evremond prend le contre-pied de son contemporain, Pascal. Cet

---

[1] Pascal, p. 161.

[2] Bien entendu, ce qui a aidé Saint-Evremond à se sentir à l'aise dans ces deux pays, c'était le rayonnement de la langue et de la culture française en ce temps-là. Saint-Evremond n'a jamais éprouvé le besoin d'apprendre d'autres langues.

écrivain austère recommandait l'entretien de la prise de conscience de la misère humaine et le rejet des divertissements, afin que l'homme soit dégoûté de sa nature imparfaite et recherche l'amitié en Dieu. Sans aller jusqu'à exclure l'angoisse, Saint-Evremond conseille à l'homme de s'en accommoder et d'ordonner la vie en fonction des plaisirs afin qu'il jouisse loyalement de son être et abandonne la recherche d'un "Bien" hypothétique. Alors que Pascal rabaisse l'existence humaine par rapport à un absolu divin sur lequel il mise tout, Saint-Evremond la valorise pour ne plus avoir à songer à cet idéal dont il n'espère rien. Contrairement au janséniste, notre honnête homme libertin ne s'angoisse pas démesurément de la corruption inhérente à la nature humaine et de son indignité vis-à-vis de son Créateur. Il s'afflige que cette existence finie ne puisse se prolonger indéfiniment et que l'Etre Suprême (s'il y en a réellement un) n'accorde à sa créature aucune preuve indiscutable de sa présence.

Saint-Evremond parie donc pour le divertissement. Mais encore faut-il savoir se divertir. Nous avons pu constater que notre sage mit au point une esthétique du plaisir assez vaste pour tenir compte de la complexité vivante de l'être humain, et assez souple pour coïncider avec les étapes successives de son développement. Grâce à son épicurisme, il lui fut possible de s'épanouir selon sa propre dynamique. Et en y apportant les modifications nécessaires, on pourrait utiliser cette sagesse aujourd'hui.

A l'époque de la jeunesse fougueuse correspond un mode de vie très actif. Au temps de la maturité conviennent les plaisirs plus réfléchis. Quand on en arrive à l'étape de l'extrême vieillesse avec son cortège de maux physiques, de déboires et de deuils, il faut puiser une consolation dans le fait même que le courant de la vie continue à circuler en soi. Saint-Evremond aurait pu faire sienne une remarque mi-mélancolique, mi-facétieuse de sa grande amie, Ninon de Lenclos, qui illustre parfaitement son attitude à lui de résignation courageuse, et sa volonté tenace de jouir de son existence jusqu'au bout:

> Tout le monde me dit que j'ai moins à me plaindre du tems qu'un autre. De quelque sorte que cela soit, qui m'auroit proposé une telle vie, je me serois penduë. Cependant on tient à un vilain Corps comme à un Corps agréable; on aime à sentir l'aise et le repos (*Lettres*, II, 282).

Or, c'est précisément cette disponibilité envers les diverses phases de l'existence, cette capacité de s'harmoniser avec chacune en y trouvant des raisons de continuer à vouloir vivre, qui confèrent à la morale de Saint-Evremond une élégance exceptionnelle. Ces qualités justifient pleinement la comparaison qu'Antoine Adam a établie entre la pensée de Saint-Evremond et celle, souriante et lucide aussi, d'un écrivain du vingtième siècle, Jean Giraudoux[3].

Une morale centrée sur le développement de soi court le risque de déboucher sur l'indifférence envers les autres, sur un égoïsme somme toute assez stérile. Or, c'est le contraire qui se produit. Nous l'avons constaté à propos de l'amitié: l'euphorie individuelle ne peut se réaliser en dehors du contexte des rapports humains. Le bonheur du moi est inséparable du bonheur d'autrui. L'expansion joyeuse du cœur, l'enrichissement de l'esprit, la certitude d'avoir un sanctuaire vivant où se réfugier pour épancher ses sentiments, confier ses secrets, et soulager ses peines, dépendent du rapprochement entre deux individus résolus à se partager, voire, à se prodiguer leurs multiples ressources internes. Puisqu'ils ont tellement besoin l'un de l'autre, comment pourraient-ils entretenir des rapports qui ne soient pas fondés sur le respect et l'affection? Comment l'un des partenaires pourrait-il se respecter lui-même sans estimer l'autre dont dépend en partie sa propre euphorie? Oui, même les rapports humains les plus exaltés sont alimentés par l'appétence élémentaire que Pascal appelait "le moi haïssable". Oui, même l'ami le plus dévoué ne s'oublie jamais entièrement. Mais qu'importe? Il suffit que deux "moi" haïssables soient sublimés sur le registre de l'amitié pour devenir un "nous" aimable et altruiste. Ne serait-ce que pour avoir exprimé éloquemment cet idéal à sa manière, Saint-Evremond mérite d'être considéré comme un représentant distingué de notre civilisation occidentale.

Si la morale de l'euphorie évite l'écueil de l'égoïsme, elle risque de laisser sur leur faim tous ceux qui voudraient y trouver un dépassement héroïque. Notre épicurien a certes fait preuve de grand dévouement envers ceux qu'il aimait. Il le préconisait d'ailleurs dans son essai "Sur l'amitié". Mais l'idée du dépassement de soi par l'adhésion inconditionnelle à un absolu lui était répugnante. Le seul envers lequel il était d'une loyauté indéfectible, c'était la vie. Quant aux diverses idéologies, elles n'en représentaient à ses yeux que des explications partielles. Envisagé sous ce jour, on peut comprendre son refus de subir le martyre ou même des privations pour une cause. A quoi bon sacrifier le tout qu'est la vie à une partie qu'est une idéologie? Loin de lui paraître héroïques, de tels actes d'abnégation touchaient à la folie. D'où le mot qu'il osa dire à Henri Justel déchiré entre son désir de rentrer en France et sa fidélité à sa foi protestante qui y était interdite: "Je ne trouve rien de plus injuste que de persécuter un homme pour sa créance; mais je ne vois rien de plus fou, que de s'attirer la persécution" (*Œuvres*, IV, 279).

---

[3] Antoine Adam, *Les Libertins au XVIIe siècle* (Paris: Buchet/Chastel, 1964), p. 218.

On discerne la même souplesse, la même aversion pour la rigidité, le même refus de se figer en statue du Bien, dans sa façon de juger de la valeur morale de son comportement personnel. Son exaltation de l'amitié prouve que Saint-Evremond avait une très haute conception de ce que l'homme pouvait être. Notre auteur évitait de commettre certaines actions car il savait qu'elles le feraient déchoir à ses propres yeux. Par contre, le mondain qu'il était savait que l'homme (du moins la plupart des hommes) est une créature sociale, vivant dans un monde où il doit tenir compte de besoins, d'intérêts, et de personnalités parfois très différents sinon contraires aux siens. Or, vivre en société veut dire accepter des compromis afin d'accroître au maximum nos chances limitées de bonheur. Bien entendu, certains vices comme la flagornerie, la trahison, l'hypocrisie, la cupidité et la paillardise étaient pour notre épicurien rigoureusement interdits. Mais il ne lui était pas défendu de se servir de sa finesse ou de sacrifier un peu de sa fierté vis-à-vis des autres pour améliorer sa vie, surtout s'il ne nuisait à personne en ce faisant. Nous avons déjà souligné le compromis ménagé entre la dignité personnelle et les exigences du monde dans les relations qu'il avait nouées avec le duc de Candale. Ce réalisme est également évident dans les supplications que notre honnête homme adresse au roi Louis XIV à la prière de ses amis pour se faire pardonner la fameuse lettre sur la paix des Pyrénées et obtenir la permission de rentrer en France. Ce document représente une attaque des plus virulentes, des plus vitrioliques, contre la personne qui fut ministre pendant la jeunesse du roi, le cardinal Mazarin. Elle fut sans doute pour le roi une preuve de cette indépendance d'esprit railleuse dont il avait une méfiance profonde. Tout en sachant cela, notre exilé essaie de faire oublier son impertinence passée en adressant au roi des louanges outrancières qui font vraiment de la peine à lire[4]. Et pourtant, jamais il ne désavoue ses opinions. A aucun moment il ne confesse avoir eu tort. Comme l'a si bien fait remarquer René Ternois, la lettre était "hautaine sous les dehors de l'adulation" (*Lettres*, I, 160).

Equilibre entre la souplesse qu'exigent la vie en société et la dignité personnelle, épanouissement de la nature individuelle selon sa propre dynamique, respect du bonheur d'autrui considéré comme indispensable à

---

[4] Voir dans *Lettres*, I, 161-165, la lettre adressée par Saint-Evremond à M. de Lyonne en avril 1668, que celui-ci était censé montrer à Louis XIV comme preuve du repentir et de la loyauté de Saint-Evremond.

la réalisation du sien, lucidité souriante, en un mot, sagesse à la mesure de l'homme: rien ne semblait manquer à la morale de Saint-Evremond pour lui assurer une euphorie durable. Mais est-ce sûr? Selon Luigi de Nardis, l'égalité d'âme de l'épicurien était devenue un masque dissimulant la profonde mélancolie que celui-ci ressentait pendant sa vieillesse devant un monde changeant auquel il n'arrivait plus à s'intégrer[5]. L'observation de De Nardis peut être très juste. Elle n'infirme la morale de l'euphorie ni en ce qui concerne l'existence de notre auteur prise dans son ensemble, ni en ce qui regarde la possibilité d'adapter cet art de vivre à d'autres individus. N'oublions pas que notre moraliste a joui d'une longévité exceptionnelle. Il est à peu près inévitable de se figer dans des attitudes de prédilection en vieillissant, surtout quand on ne réussit plus à se mettre au diapason de la société dans laquelle on vit. N'oublions pas non plus qu'un masque pareil correspond en général à des besoins profonds du tempérament de la personne qui le porte, même quand il ne coïncide plus avec l'état d'âme qui domine chez elle à un moment aussi difficile de son destin. Saint-Evremond a pu perdre sa foi "laïque" aux approches de l'extrême vieillesse. Sa morale épicurienne n'en a pas moins de mérite pour cela, car pendant une grande partie de son existence, elle l'a aidé à incarner une attitude qui est la marque des grandes civilisations: respect de soi-même, et respect d'autrui.

---

[5] Luigi de Nardis, *Il Cortegiano e l'Eroe, Studi su Saint-Evremond* (Firenze: Nuova Italia, 1964), p. 171.

Bibliographie

Ouvrages Cités et Consultés

Adam, Antoine. *Histoire de la littérature française au XVIIe siècle.* 5 tomes. Paris: del Duca, 1962.

—. *Les Libertins au XVIIe siècle.* Paris: Buchet/Chastel, 1964.

Bachelard, Gaston. *La Poétique de l'espace.* Paris: Presses Universitaires de France, 1957.

Barnwell, H. T. *Les Idées morales et critiques de Saint-Evremond.* Paris: Presses Universitaires de France, 1957.

Bénichou, Paul. *Morales du Grand Siècle.* Paris: Gallimard, 1948.

Boudhors, Charles-H. "Divers propos du chevalier de Méré en 1674-1675", *Revue d'Histoire Littéraire de la France,* 30 (janvier-mars 1923), p. 52.

Bray, René. "Honnête homme". Dans *Dictionnaire des lettres françaises; dix-septième siècle.* Ed. Grente. Paris: Fayard, 1954.

—. *La Préciosité et les Précieux, de Thibault de Champagne à Jean Giraudoux.* Paris: Albin Michel, 1948.

Burke, Kenneth. *The Rhetoric of Religion: Studies in Logology.* Berkeley and Los Angeles: University of California Press, 1970.

Busson, Henri. *La Pensée religieuse française de Charron à Pascal.* Paris: Presses Universitaires de France, 1933.

—. *La Religion des classiques (1660-1685)*. Paris: Presses Universitaires de France, 1948.

Bussy, Roger de Rabutin, Comte de. *Histoire amoureuse des Gaules*. Ed. C. A. de Sainte-Beuve. 2 tomes. Paris: Garnier Frères, 1851.

—. *Mémoires*. Ed. L. Lalanne. 2 tomes, Paris: Charpentier, 1857.

Delft, Louis van. *Le Moraliste classique, Essai de définition et de typologie*. Genève: Droz, 1982.

Descartes, René. *Œuvres et lettres*. Ed. André Bridoux. Paris: Gallimard, 1958.

Diderot, Denis. *Œuvres romanesques*. Ed. Henri Bénac. Paris: Gernier Frères, 1951.

Duchêne, Roger, *Ninon de l'Enclos*. Paris: Fayard, 1984.

Faret, Nicholas. *L'Honnête homme; ou, l'Art de plaire à la cour*. Ed. M. Magendie. Paris: Presses Universitaires de France, 1925.

Haight, Jean. *The Concept of Reason in French Classical Literature, 1635-90*. Toronto: University of Toronto Press, 1982.

Hazard, Paul. *La Crise de la conscience européenne 1680-1715*. Paris: Fayard, 1961.

Hope, Quentin M. *Saint-Evremond: The Honnête Homme as Critic*. Bloomington: Indiana University Press, 1962.

Lafargue, Mario-Paul. *Saint-Evremond ou le Pétrone du XVIIe siècle*. Paris: Les Editions Francex, 1945.

La Rochefoucauld, François, duc de. *Œuvres complètes*. Ed. L. Martin-Chauffier. Paris: Gallimard, 1950.

Lévêque, A. "L'Honnête homme et l'homme de bien au 17e siècle". *PMLA*, LXXII (1957), 620-632.

Lucreti. *De Rerum Natura*. Ed. Cyrillus Bailey. Oxonii: Typographeus Clarendonianus, 1962.

Magendie, Maurice. *La Politesse mondaine et les théories de l'honnêteté en France au XVII*[e] *siècle, de 1600-1660.* 2 tomes. Paris: Félix Alcan, 1925.

Magne, Emile. *Ninon de Lenclos.* Paris: Emile-Paul Frères, 1925.

Méré, Antoine-Gombauld, chevalier de. *Œuvres complètes.* Ed. Charles-H. Boudhors. Paris: Fernand Roches, 1930.

Molière. *Théâtre complet.* Ed. Robert Jouanny. Paris: Garnier Frères, 1959.

Mongrédien, Georges. *Les Précieux et les précieuses.* Paris: Mercure de France, 1939.

—. *Libertins et amoureuses.* Paris: Perrin, 1929.

Montaigne, Michel de. *Essais.* Ed. Alexandre Micha. 3 tomes. Paris: Garnier-Flammarion, 1969.

Nardis, Luigi de. *Il Cortegiano e l'Eroe. Studi su Saint-Evremond.* Firenze: Nuova Italia, 1964.

Pascal, Blaise. *Pensées.* Ed. Ch.-M. des Granges. Paris: Garnier Frères, 1964.

Petit, Léon. *La Fontaine et Saint-Evremond ou La Tentation de l'Angleterre.* Toulouse: Privat, 1953.

Pintard, René. *Le Libertinage érudit dans la première moitié du XVII*[e] *siècle.* 2 tomes. Paris: Boivin et Cie, 1943.

Prévost, Jean. "Saint-Evremond". Dans *XVII*[e] *– XVIII*[e] *siècles.* Ed. André Gide. Paris: Gallimard, 1939, p. 27.

Rabelais, François. *La Vie très horrificque du grand Gargantua.* Ed. V.-L. Saulnier et Jean-Yves Pouilloux. Paris: Garnier-Flammarion, 1968.

Reaux, Tallemant des. *Historiettes.* Ed. Antoine Adam. 2 tomes. Paris: Gallimard, 1960.

Retz, Jean-François Paul de Gondi, cardinal de. *Mémoires.* Ed. Maurice Allem et Edith Thomas. Paris: Gallimard, 1956.

Rosmarin, Léonard A. "A Christian Sceptic: The Seigneur de Saint-Evremond". *Laurentian University Review*, 4, No. 1, (November 1971), 3-14.

—. "The Unsublimated Libido: Saint-Evremond's Conception of Love". *The French Review*, XLVI (December, 1972), 263-270.

Saint-Evremond, Charles de Marquetel de Saint-Denis de. *Lettres*. Ed. René Ternois. 2 tomes. Paris: Librairie Marcel Didier, 1967-1968.

—. *Œuvres en prose*. Ed. René Ternois. 4 tomes, Paris: Librairie Marcel Didier, 1962-1969.

Schmidt, Albert-Marie. *Saint-Evremond ou l'humaniste impur*. Paris: Editions du cavalier, 1932.

Scudéry, Madeleine de. *Artamène ou le Grand Cyrus*. 3e éd., 10 tomes. Paris: Auguste Courbé, 1649-1653.

—. *La Clélie, histoire romaine*. 10 tomes. Paris: Auguste Courbé, 1656-1660.

Stace. W. T. *A Critical History of Greek Philosophy*. London: MacMillan and Co. Ltd., 1965.

Starobinski, Jean. *Montaigne en mouvement*. Paris: Gallimard, 1982.

Voiture, Vincent. *Lettres*. Ed. Octave Uzanne. 2 tomes. Paris: Jouaust, 1888.

—. *Œuvres*. Ed. A. Ubicini. 2 tomes. Paris: Charpentier, 1855.